Chère lectrice,

C'est la rentrée ! On reprend le chemin du travail, de l'école... et de l'hiver. Mais !... savourons encore l'été finissant et l'automne doré, qui nous apportent une moisson de douces journées et d'heures exquises de lecture. En compagnie de Rouge Passion, bien sûr !

Ce mois-ci, ce ne sont que situations fascinantes et circonstances étonnantes. Karen, qui a fui Sam sans un aurevoir ou presque, se retrouve coincée avec lui dans un motel, par la faute d'un ouragan, et *A la merci du passé* (1081). Pour son bonheur ?... La très jolie Niki est proclamée contre son gré Plus Belle Fille du Grand Ouest, et refuse son titre, au grand dam de Clay Russel qui n'a jamais vu une fille renoncer à une carrière de top model. Il se fait fort de l'amener à changer d'avis. Et de vie ? (« *Et la gagnante est...* », 1083). Angie, prise dans le tourbillon des événements, a épousé dans l'urgence un parfait inconnu. Quel homme va-t-elle découvrir, à la faveur de ces singulières épousailles ? C'est ce que vous dira *Mariage et conséquences* (1085). Quant à Maria Elena, *La fugitive de Belle Terre*, qui revient sur les lieux de son passé et de son premier amour, elle devra affronter ceux qui voudraient la chasser de nouveau, et aussi ses propres démons.

Si nous parlions un peu des hommes, maintenant ? *Sous la menace*, votre « suspense » du mois (1082), brosse le portrait d'un étrange et séduisant agent du FBI, dont Zara ignore s'il est mandaté pour la protéger... ou l'éliminer. Mais, chuuut... Bébé dort. Enfin ! *Berceuse pour un séducteur* (1084), votre roman signé « Un bébé sur les bras », vous attend pour plonger avec Dylan dans les péripéties d'un célibataire branché aux prises avec une adorable petite fille.

Bonne lecture,

La responsable de collection

« Et la gagnante est... »

RUTH JEAN DALE

« Et la gagnante est... »

HARLEQUIN

COLLECTION ROUGE PASSION

*Cet ouvrage a été publié en langue anglaise
sous le titre :*
THE COWGIRL'S MAN

Traduction française de
JULIE VALENTIN

HARLEQUIN ®
est une marque déposée du Groupe Harlequin
et Rouge Passion ® est une marque déposée d'Harlequin S.A.

*Toute représentation ou reproduction, par quelque procédé que ce soit, constitue-
rait une contrefaçon sanctionnée par les articles 425 et suivants du Code pénal.*
© 2000, Betty Duran. © 2001, Traduction française . Harlequin S.A.
83-85, boulevard Vincent-Auriol, 75013 Paris — Tél. . 01 42 16 63 63
Service Lectrices — Tél . 01 45 82 47 47
ISBN 2-280-11849-1 — ISSN 0993-443X

1.

Niki Keene attirait les hommes comme le miel attire les abeilles... Ou comme la crème attire les chats. Un phénomène naturel, qui ne cessait d'amuser sa grand-mère, Tilly Collins.

La vieille dame avait deux autres sujets de fierté : les sœurs de Niki, qui ne la précédaient que de quelques minutes, puisqu'elles étaient des triplées. Avec un sourire ému, Tilly agita son chapeau en guise d'éventail. L'air de cet après-midi de juillet était particulièrement chaud et sec, et la foule qui l'entourait, rassemblée pour le pique-nique annuel de la fête nationale, semblait anesthésiée par le soleil éclatant. Même les enfants en oubliaient de jouer et ils demeuraient près de leurs parents, assis à l'ombre des arbres, un chapeau sur la tête et une bouteille de soda à la main. Seul, le petit groupe des admirateurs de Niki frétillait d'excitation autour de la jeune femme qui les tenait à distance sans perdre son sourire chaleureux. Une aisance déroutante, qui ne s'acquiert qu'avec l'expérience, songea Tilly en l'observant.

A ses yeux, les trois sœurs étaient jolies, intelligentes et gentilles. Et si Dani était juste un peu plus intelligente, Toni un peu plus gentille, et Niki, un peu plus jolie, c'était sans doute pour permettre aux étrangers de les différencier...

Tilly ferma les paupières quelques secondes et poussa un soupir de satisfaction. Elle appréciait infiniment ces quelques heures de repos. Le ranch familial, le Bar-K, accueillait des touristes tout au long de l'année dans des bungalows éparpillés sur ses terres. Tilly avait convaincu tous ses hôtes de participer au pique-nique, ce qui lui permettait d'avoir une journée libre.

Un grincement se fit entendre, puis une série de sons aigus couvrirent les bruits de la foule. Rosie Mitchell, madame le maire de Hard Knox, s'apprêtait à parler dans son micro, songea Tilly en rouvrant les yeux.

— Bon sang, ce qu'il fait chaud! gémit Dani Keene Burke en s'asseyant sur le banc de bois, près de sa grand-mère.

— J'espère que la chaleur ne t'a pas fait oublier Elsie, observa Tilly, en constatant que son arrière-petite-fille de onze mois ne se trouvait pas dans les bras de sa mère.

Dani eut un immense sourire. Jamais Tilly ne l'avait vue plus heureuse que depuis qu'elle avait épousé Jack Burke, le fils du propriétaire du ranch voisin du Bar-K.

— Elle est avec son père. Jack m'a dit qu'il me rejoindrait dans quelques minutes, avec les enfants et un litre de thé glacé.

Juste après leur mariage, et avant d'avoir Elsie, Dani et Jack avaient adopté Pete, le neveu de Jack, un orphelin de six ans.

— J'ai aperçu les nouveaux mariés. Ils vont venir te voir, Granny.

Tilly hocha la tête, sachant que Dani parlait de sa sœur Toni et de son beau-frère, Simon.

— Où est Niki? demanda Dani.

Tilly désigna du menton le groupe de jeunes gens qui entouraient Niki. Chaque fois qu'elle regardait sa petite-fille, elle ne pouvait s'empêcher de s'émerveiller de la beauté de cette dernière. Au cours de sa vie, elle avait vu plus d'une jolie blonde aux yeux bleus. Mais Niki semblait avoir les cheveux plus soyeux et plus blonds, les yeux plus grands et plus bleus, le teint plus frais et la taille plus fine que les autres.

Une phrase, prononcée à voix forte par le maire et encore amplifiée par les haut-parleurs, la tira de sa contemplation.

— Niki Keene, aurais-tu l'obligeance de me rejoindre sur l'estrade?

Tilly échangea un coup d'œil stupéfait avec Dani. Niki haussa les sourcils et s'avança vers l'estrade rudimentaire sur laquelle se trouvait Rosie Mitchell.

— Qu'est-ce qu'elle lui veut? marmonna Toni, qui venait d'arriver, en se penchant pour embrasser sa grand-mère.

Tilly haussa les épaules avec un sourire. On était le jour de la fête nationale... Que pouvait-il arriver de mal à Niki, durant le pique-nique annuel de Hard Knox?

— Ma chérie, j'ai une bonne nouvelle à t'annoncer, susurra Rosie dans son micro.

Niki connaissait bien Rosie, qui était aussi propriétaire du bar dans lequel elle travaillait à mi-temps.

Des applaudissements crépitèrent tandis que Niki rejoignait le maire sur l'estrade. Tilly, Dani, Toni, Jack et Simon applaudirent machinalement comme les autres, sans avoir la moindre idée de ce qui attendait la jeune femme.

— Mes amis, commença Rosie. J'ai une surprise pour vous! Notre chère Niki s'est qualifiée pour la finale du concours organisé par la ligne de vêtements Hubbard Grand Ouest destiné à élire la plus jolie fille de l'Ouest! Regardez... J'ai même un diplôme à lui remettre! acheva Rosie, l'air triomphant, en agitant une feuille de papier.

Toni lança un coup d'œil effaré à sa sœur et à sa grand-mère.

— Je n'en crois pas mes oreilles! Niki n'aurait jamais participé à un concours de beauté sans nous prévenir!

Dani fronça ses fins sourcils blonds.

— Tu as raison. De plus, c'est un concours national, dont toutes les chaînes de radio et de télévision ont parlé... Juste le genre de truc auquel Niki a toujours refusé de participer. Si elle gagne, elle sera obligée de parcourir le pays pour représenter la marque de vêtements et poser comme mannequin pendant une année entière. Niki se ferait écorcher vive plutôt que de quitter le ranch pour faire ce genre de boulot.

C'était vrai, se dit Tilly en voyant Niki secouer la tête et parlementer hors micro avec Rosie. Malgré sa beauté, la jeune femme détestait se trouver sous les feux de la rampe.

— Désolée, mais il doit y avoir une erreur, affirma Niki en s'emparant du micro. Je ne me suis pas inscrite pour participer à ce concours.

— Regarde ce document, mon chou... Ton nom y est écrit en toutes lettres, insista Rosie.

— Eh bien, les organisateurs ont dû se tromper, déclara Niki d'une voix à la fois douce et ferme. Merci, Rosie... A tout à l'heure.

Avec un sourire, elle se détourna et se dirigea vers les trois marches qui permettaient de descendre de l'estrade.

Un silence de plomb tomba sur l'assemblée. Ce fut Tilly qui le rompit.

— Voyons, Rosie, dit-elle d'une voix forte. Tu sais bien que Niki a horreur des chevaux. Comment pourrait-elle incarner une fille du Grand Ouest ? Je suppose que c'est un détail que les organisateurs ignoraient, quand ils l'ont inscrite d'office à leur concours !

Le chapeau rabattu sur le visage, les yeux dissimulés derrière l'écran fumé de ses lunettes de soleil, les bras croisés sur sa chemise en lin noir, Clay Russell, champion du monde de rodéo et porte-parole de la société Hubbard Grand Ouest, avait observé toute la scène avec le plus grand intérêt.

C'était Eve Hubbard, la créatrice et le grand manitou de la ligne de vêtements du même nom, qui l'avait envoyé ici. Pour elle, il avait parcouru tous les Etats de l'Ouest, et Hard Knox était sa dernière étape avant de rentrer faire son rapport. Eve le payait très cher pour sélectionner les douze candidates qui devaient participer à la finale du concours qu'elle avait organisé. Douze, pas une de plus, qu'il avait choisies après avoir examiné des milliers de photos envoyées par les candidates, ou par la famille ou les amis de ces dernières.

Demain, il serait à Dallas et Eve le mettrait sur le gril. Elle voudrait tout savoir dans les moindres détails. Notamment, le comportement en société de chacune des candidates, et ses réactions en apprenant qu'elle avait été sélectionnée pour participer à l'épreuve finale.

Un point sur lequel la belle Niki Keene avait échoué, estima Clay. Toutes les autres candidates avaient poussé des cris de joie quand elles avaient appris la nouvelle. Elles avaient fait des bonds sur place et tournoyé comme des toupies en s'applaudissant elles-mêmes, puis s'étaient jetées au cou de leurs amis, de leurs familles, voire même de parfaits inconnus. Niki, elle, avait déclaré qu'il y avait eu une erreur et avait quitté l'estrade d'un pas tranquille.

Elle n'avait rien d'une graine de star, malgré sa beauté. Pourtant, en moins de cinq minutes, elle avait réussi à l'impressionner, et Dieu sait qu'il était blasé sur le sujet ! Niki possédait ce « je-ne-sais-quoi » qui rend une femme inoubliable. De plus, elle portait un ensemble en jean qu'il avait reconnu aussitôt. Il faisait partie de la collection dessinée par Eve Hubbard. La petite veste cintrée et très courte permettait d'entrevoir un soupçon de peau dorée au niveau de la taille avant qu'elle ne soit recouverte par le pantalon, moulant à souhait. Quant à l'encolure en V, elle exposait la naissance d'une gorge ronde et veloutée qui promettait mille délices.

Clay cligna les paupières. Où diable son imagination l'entraînait-elle ? Ce devait être le soleil, sûrement. Il faisait une chaleur d'enfer... De toute façon, non seulement Niki avait refusé de concourir, mais la vieille dame, qui semblait bien la connaître, avait clamé haut et fort qu'elle n'aimait pas les chevaux. Ce qui, pour une future reine des cow-boys, était rédhibitoire.

Un bruit de voix l'alerta. Il tendit l'oreille.

— Je ne comprends pas... Si Niki ne s'est pas inscrite à ce concours, pourquoi est-elle l'une des candidates élues pour la finale ? demanda la jeune femme qui tenait une petite fille dans ses bras, et qui était assise sur le banc près de la vieille dame.

L'autre jeune femme, qui ressemblait, comme la première, étrangement à Niki, haussa les épaules.

— Je n'en ai aucune idée. Mais, si j'étais à sa place, je n'hésiterais pas. Je participerais au concours, et j'empocherais les prix ! Il y en a une multitude, paraît-il. Tu sais bien que Niki a toujours éclipsé ses concurrentes dès qu'elle s'est trouvée sur un podium.

— C'est vrai, renchérit la vieille dame avec un sourire empli de fierté. Depuis qu'elle a quinze ans, elle rafle tous les premiers prix ! Voyons, elle a même été élue Miss Texas, et si elle avait seulement daigné continuer les épreuves, je suis sûre qu'elle aurait été Miss Amérique !

Clay haussa les sourcils derrière ses lunettes noires. Miss Texas ? C'était donc pour cela qu'Eve Hubbard l'avait inscrite elle-même à son concours, sans même demander l'avis de l'intéressée ! Clay ouvrit un peu plus grand ses oreilles.

— A mon avis, elle devrait concourir, affirma celui qui semblait être l'époux de la jeune femme à l'enfant. C'est dans l'intérêt de notre petite ville. Et ça ferait une excellente publicité pour le ranch du Bar-K.

— Comment peux-tu être aussi sûr que Niki remporterait le concours ? demanda l'autre homme, celui qui devait être l'époux de l'autre jeune femme. Elle n'est pas la plus jolie fille des environs... Toni est encore plus belle, ajouta-t-il en se penchant pour embrasser le front de cette dernière.

Toni sourit.

— Je crois que tu n'es pas très objectif, Simon.

— Les jeunes mariés ne le sont jamais, observa la vieille dame avec un petit rire, avant de se tourner vers la jeune femme qui faisait sauter l'enfant sur ses genoux.

— Et toi, Dani, qu'en penses-tu ? Tu penses que Niki risque de changer d'avis ?

— Sûrement pas. La dernière fois qu'elle a participé à un concours, elle a dû repousser les avances de l'organisateur qui ne cessait de la harceler. Elle a juré qu'elle ne s'inscrirait plus jamais dans ce genre d'épreuve. Ce n'est pas moi qui le lui reprocherais.

Clay se redressa. Il en avait assez entendu. Il allait reprendre la route. Une fois arrivé à Dallas, il ferait un rapport sur cette ravissante jeune femme et conseillerait à Eve de la rayer de la liste des candidates.

— De toute façon, Niki a un problème avec les chevaux, vous le savez aussi bien que moi, marmonna la vieille dame en poussant un profond soupir.

Clay entendit d'autres soupirs, tout aussi profonds, et vit du coin de l'œil que les visages des deux jeunes femmes s'étaient fermés. Quel était donc le problème ? se demandat-il, soudain curieux. A en juger par le silence qui était tombé sur le petit groupe, il devait s'agir d'un ennui sérieux. Mais cela lui importait peu, car Niki Keene n'était pas celle qui incarnerait la nouvelle image des vêtements Hubbard Grand Ouest.

La vieille dame se leva brusquement.

— Je retourne au ranch, déclara-t-elle. Si vous voulez, je ramène les enfants avec moi, et vous, vous vous occupez de nos hôtes.

— D'accord, déclara Jack. Une fois qu'on les aura tous reconduits au ranch, je propose qu'on aille voir notre jolie tête de mule au bar des Mitchell.

Clay se leva discrètement et s'éloigna de quelques pas. L'après-midi touchait à sa fin, et Dallas était encore loin. Il avait intérêt à se mettre en route s'il voulait y arriver avant la nuit.

Une question lui vint à l'esprit. Que diable une beauté comme Niki faisait-elle dans un bar ? Il avait remarqué l'enseigne du bar des Mitchell dans la rue principale de Hard Knox. Souffrait-elle d'un problème d'alcoolisme, en plus de celui qu'elle avait avec les chevaux et de son fichu caractère ? Dommage qu'une fille aussi jeune et aussi jolie se mette à boire...

Le visage de Niki surgit tout à coup en gros plan dans son cerveau. Il secoua instinctivement la tête. Non, se dit-il. Il ne l'avait vue que de loin. Il était prêt à parier qu'elle ne devait pas être aussi jolie de près. D'ailleurs, pour s'en assurer, il lui suffisait de passer deux minutes au bar des Mitchell.

Quand Niki aperçut ses sœurs qui franchissaient la porte du bar, elle aspira une grande bouffée d'air. Toni et Dani s'apprêtaient à lui faire passer un mauvais quart d'heure, se dit-elle en observant l'air décidé des deux jeunes femmes blondes, si semblables à elle-même.

Ses deux sœurs l'avaient poussée à concourir pour le titre de Miss Montana, quand elles y habitaient encore toutes les trois. Elles l'avaient inscrite d'office, sans même lui demander son avis, pour participer au concours de Miss Texas quand elles étaient venues vivre ici. Leur obstination avait passablement agacé Niki, mais elle s'était laissé faire. En revanche, si Toni et Dani étaient venues la harceler jusqu'à ce qu'elle pose sa candidature au titre de Miss Grand Ouest, elles perdaient leur temps. Cette fois, elle ne céderait pas. On ne devient pas la reine des cow-boys si on n'est pas capable d'enfourcher un cheval. Et ce n'était pas parce que sa famille était propriétaire d'un ranch que cela y changerait quoi que ce soit. Ses sœurs et ses beaux-frères pouvaient se mettre en selle et galoper au milieu des troupeaux du matin jusqu'au soir, elle s'en fichait éperdument. Elle préférait, quant à elle, rester à terre et faire le ménage et la cuisine pour leurs hôtes. Ou bien travailler à temps partiel chez les Mitchell.

— Deux bières pression, Ken, murmura-t-elle à l'homme moustachu qui se trouvait derrière le bar.

D'un œil songeur, elle balaya la salle du regard. Elle était comble ou presque, comme d'habitude. Les touristes se mêlaient aux fermiers des environs, leurs accents se mélangeaient en une joyeuse cacophonie, et la bière mousseuse dessinait sur leurs lèvres des moustaches blanches et éphémères. En dépit de leurs origines diverses, ils portaient un même uniforme : jean, T-shirt, chapeau. Les femmes arboraient des bijoux en sus, et les enfants avaient vissé sur leur crâne des casquettes aux couleurs vives. Ce spectacle, elle le voyait chaque fois qu'elle venait travailler chez les Mitchell, se dit Niki. S'en lasserait-elle un jour ? Au moment où elle se posait la question, son regard tomba en arrêt sur une silhouette sombre, tout au fond de la salle. Un homme, grand et large d'épaules, lui tournait le dos et semblait examiner avec attention le panneau que les Mitchell avaient couvert de photos de Niki, prises à l'occasion des différents concours qu'elle avait gagnés. La pire était celle de la soirée qui lui avait valu le titre de Miss Texas, songea Niki en se mordant les lèvres. Justement, l'étranger avait le nez dessus. Car il s'agissait d'un étranger... Personne d'autre n'aurait porté un jean noir, une chemise noire et un foulard noir autour du cou pour venir au pique-nique annuel de Hard Knox. Quant à la ceinture de cuir fauve, ornée d'une superbe plaque en or, c'était celle d'un cavalier de rodéo professionnel de haut niveau. A la connaissance de Niki, il n'y en avait aucun vivant dans la région.

Pourquoi diable examinait-il ces maudites photos? Celle qu'elle détestait le plus, qui la montrait en maillot de bain avec une tiare en brillants sur la tête, semblait l'attirer tout particulièrement. Il avait même ôté son chapeau à large bord pour la regarder de plus près, à croire qu'il était myope au dernier degré... Mais peut-être était-il carrément aveugle, car il avait gardé ses lunettes noires. Niki était en train de se demander s'il existait des photos en braille quand la voix railleuse de Ken Mitchell, le patron du bar — et le sien par la même occasion —, la fit sursauter.

— Niki? Les bières vont finir par attraper un coup de chaud!

— Oh... Excuse-moi, marmonna-t-elle en saisissant le plateau sur lequel étaient posées deux chopes.

Tout en se maudissant d'avoir cédé à une stupide rêverie, elle alla servir les deux clients qui lui avaient commandé les bières, puis se dirigea d'un pas nonchalant vers la table devant laquelle ses sœurs s'étaient assises.

Toni et Dani souriaient d'une oreille à l'autre quand elle s'approcha d'elles.

— Où est passé le reste de la famille? leur demanda Niki.

— Granny est rentrée au ranch avec les enfants. Quant à nos maris, ils sont en train de rassembler nos hôtes pour les ramener, eux aussi, répondit Toni.

— Nous, on voulait passer ici pour saluer la future reine des cow-boys, déclara Dani, l'œil brillant d'excitation.

— Très drôle, grommela Niki.

Elle plissa les yeux, dévisagea ses sœurs, tandis qu'une pensée aussi soudaine que désagréable lui traversait le cerveau.

— Dites donc... Ce n'est pas vous qui m'auriez inscrite à ce concours sans me le dire ?

Les yeux bruns de Toni s'arrondirent sous le coup de la surprise.

— Moi ? Je te jure que non ! affirma-t-elle aussitôt.

Les prunelles bleu pâle de Dani se firent intenses.

— Tu sais bien que je n'aurais jamais fait une chose pareille derrière ton dos, Niki. Mais maintenant que tu es candidate, j'espère que tu ne vas pas te retirer du jeu. Pense donc à tous les gains et les lots merveilleux que tu pourras obtenir !

— Dani, franchement, je ne...

— Dani a raison, trancha Toni. Niki, ce concours est organisé à l'échelle nationale. Si tu gagnes — et tu gagneras, comme toujours —, tu seras le mannequin vedette de la marque pendant une année, avec un salaire de rêve !

— Quel est le nom de la marque de vêtements, déjà ? demanda Dani en fronçant ses sourcils.

— Hubbard Grand Ouest, murmura Niki en lançant un regard à son ensemble en jean. En fait, ce sont mes vêtements préférés...

— Justement ! Il paraît que la gagnante aura droit à une garde-robe complète, susurra Dani.

— C'est le destin, souffla Toni.

— Je m'en fiche, grommela Niki. D'ailleurs, je gagne assez d'argent pour m'acheter les vêtements qui me plaisent ! Dites-moi, toutes les deux, vous êtes venues pour boire quelque chose, ou bien vous voulez juste m'embêter ?

— Pour boire, bien sûr, répliquèrent en chœur les deux sœurs de Niki en affichant un air innocent.

— Il fait une chaleur d'enfer, dehors, au cas où tu ne l'aurais pas remarqué, ajouta Dani. Je suis complètement déshydratée.

— Bon. Je vous apporte deux sodas sans sucre, sans alcool, sans colorant... Et sans goût, déclara Niki.

Elle s'apprêtait à leur tourner le dos pour se frayer un chemin vers le bar derrière lequel officiait Ken quand la voix mielleuse de Toni l'arrêta.

— Si j'étais toi, je me présenterais à ce concours. Tu ferais une publicité géniale à notre petite ville, en étant élue reine des cow-boys !

Niki retint à temps le juron qui lui brûlait la langue.

— Je n'ai rien d'une cavalière, tu l'as oublié ?

— Non, mais je parie que les organisateurs s'en fichent royalement, répondit Toni, imperturbable. Tout ce qu'ils veulent, c'est que tu donnes aux autres filles l'envie de porter leurs vêtements. Et quand on te voit, je te promets qu'on en a envie !

— Je ne suis pas mannequin non plus, marmonna Niki, exaspérée. Il n'est pas question que je joue au top model pendant une année entière !

— Pense à la renommée de Hard Knox, Niki. Et à celle du ranch, intervint Dani.

— J'en ai assez fait pour la ville, quant au ranch, il va très bien sans moi, rétorqua Niki, les nerfs à vif. Ecoutez, ma vie me convient parfaitement telle qu'elle est. Je n'ai aucune intention de la changer, et surtout pas de la compliquer.

— Tu ne gagneras peut-être pas ce concours, insista Toni. Il y a onze autres finalistes, d'après ce que j'ai lu dans un magazine de mode. La reine sera élue à Dallas, dans un mois, je crois. Tu pourrais simplement accepter de participer à la finale, cela suffirait à la renommée de la ville — et du ranch. Avec un peu de chance, tu seras simplement deuxième. Ou troisième.

Niki fronça les sourcils.

— Est-ce que tu sais ce que cela implique, un concours de beauté ? Est-ce que l'une de vous deux aimerait parader en maillot de bain et talons aiguilles devant une douzaine de juges, qui vous jaugent et vous évaluent comme si vous étiez une poulinière ou une vache d'élevage ? Non, bien sûr que non ! Alors ne vous fatiguez pas... Je ne participerai plus jamais à un concours, quel qu'il soit. Point final.

— Mais...

— Hé, Niki !

La jeune femme se retourna, aperçut la personne qui lui faisait signe, à trois tables de là, et se pencha vers ses sœurs en faisant la grimace.

— C'est la journaliste des *Nouvelles de Hard Knox*. Je parie qu'elle veut me parler de ce satané concours...

Elle se redressa en affichant un sourire désolé.

— Je regrette, je suis terriblement occupée... Il y a un monde fou, ce soir, dit-elle très vite à la journaliste, avant de se précipiter vers le bar.

Avait-elle rêvé, ou bien avait-elle entendu l'une de ses sœurs siffler entre ses dents :

— Tu n'es qu'une poule mouillée, Niki !

En s'éloignant du panneau couvert de photos de Niki, Clay trébucha et parvint à reprendre de justesse son équilibre en s'agrippant des deux mains à une lourde chaise de bois. L'éclairage tamisé de la salle conjugué aux verres fumés de ses lunettes l'empêchaient pratiquement de voir quoi que ce soit. Il se dirigea presque à tâtons vers l'unique table vide qu'il avait repérée, à demi dissimulée derrière l'une des énormes poutres qui rythmaient la vaste salle. Il n'avait pas vu qu'un autre client la convoitait également.

Les deux hommes se laissèrent tomber sur les deux chaises disposées devant la table pratiquement au même moment.

— Désolé, je...

« Je l'ai vue le premier », faillit dire Clay. Il réprima juste à temps les mots ridicules.

Son interlocuteur lui fit un large sourire.

— Asseyez-vous, cette table est assez large pour deux ! Je m'appelle Dylan Sawyer, ajouta-t-il en lui tendant la main.

— Et moi, je m'appelle Clay.

Ils se serrèrent la main.

— Vous travaillez dans le coin ? demanda Clay en posant son chapeau près de lui.

— Oui. Au ranch du Bar-K.

Un frémissement parcourut Clay.

— Oh... Il me semble que j'en ai entendu parler.

— Il appartient aux sœurs Keene. Des triplées. Vous n'êtes pas d'ici ?

— Non. Je ne fais que passer dans la région.

— Vous avez quand même dû voir Niki Keene sur l'estrade, tout à l'heure, quand le maire a essayé de lui donner le certificat prouvant qu'elle était l'une des finalistes d'un concours de beauté. Paraît que c'est un concours national, ajouta Dylan avec une certaine fierté.

— Oui... Mais rien ne dit qu'elle sera élue, marmonna Clay.

Surpris, il vit Dylan éclater de rire.

— On voit que vous ne la connaissez pas ! Chaque fois qu'elle participe à un concours, elle le gagne haut la main ! C'est dans la poche, je vous le dis... Si on réussit à la faire changer d'avis, ajouta-t-il, en se mordant la lèvre. Elle n'a pas l'air de vouloir devenir Miss Grand Ouest.

— Vous croyez vraiment qu'elle va refuser pour de bon ? demanda Clay, poussé par la curiosité.

Dylan haussa les épaules.

— Je n'en sais rien. Mais si elle finit par y participer, je parie toute ma paie que c'est elle qui sera élue ! Franchement, vous avez déjà vu une fille plus jolie qu'elle ?

Avec enthousiasme, Dylan se tourna et fixa le bar devant lequel Niki s'affairait.

— C'est vrai qu'elle est rudement belle, admit Clay à mi-voix.

Ce fut à ce moment précis que Niki leva les yeux et plongea directement dans le regard de Clay. Un regard étincelant, dont elle pouvait deviner l'éclat et l'intensité derrière les verres de ses lunettes.

Niki retint son souffle tandis qu'un tourbillon de questions envahissait son cerveau. Que faisait cet étranger vêtu de noir à Hard Knox ? Elle l'avait vu au pique-nique, et elle le retrouvait au bar des Mitchell... C'était lui qui regardait tout à l'heure les photos que ses patrons avaient épinglées sur le mur, au fond de la salle.

Et pourquoi portait-il des lunettes de soleil dans un bar mal éclairé ?

— Niki, c'est pour la table n° 9 !

La jeune femme hocha la tête, détourna le regard et prit machinalement les deux bières que Ken venait de déposer sur le comptoir. Comme un automate, elle marcha vers la table n° 9. Une fois les bières déposées, elle dut se résoudre à aller prendre la commande de la table n° 5. Celle de Dylan et du mystérieux étranger.

Plus elle approchait, plus l'étranger en question lui semblait séduisant. Ses cheveux bruns, épais et soyeux, retombaient en mèches folles sur son front bronzé. Ses lèvres charnues et bien dessinées adoucissaient sa mâchoire carrée. Quand il lui sourit, elle entrevit des dents très blanches et parfaitement alignées.

— Salut, Dylan. Quel genre de poison veux-tu que je te serve, ce soir ?

— Une bière pression, répondit le jeune cow-boy. Vous aussi, Clay ? demanda-t-il en se tournant vers son compagnon.

Niki vit le dénommé Clay hésiter un instant avant de se lever.

Les mains sur la table, il se pencha légèrement pour la dévisager.

— Non, merci. Finalement, je ne vois rien qui me tente ici, dit-il d'une voix douce mais ferme.

Il prit son chapeau et s'éloigna vers la sortie du bar.

Bouche bée, Niki le suivit des yeux.

Non, c'était impossible... Ce n'était pas à une boisson que ce type avait fait allusion, avant de partir. C'était à elle...

— Je vais te chercher une bière, grommela-t-elle en s'adressant à Dylan, comme si la muflerie de l'étranger était sa faute.

2.

Clay se glissa derrière le volant de sa jeep et démarra sur les chapeaux de roues. Grands dieux, qu'il avait hâte de s'éloigner de Hard Knox ! Il lui semblait que tous les habitants, le maire y compris, de cette petite ville du Texas seraient capables de se lancer à ses trousses s'ils connaissaient son identité et la raison de sa venue. Combien de temps Niki pourrait-elle résister à leur harcèlement ? Il l'ignorait. Mais elle risquait de subir la pression de ses amis et de sa famille jusqu'à ce qu'elle craque et s'inscrive enfin à la finale du concours organisé par Hubbard Grand Ouest.

La route était déserte et il faisait encore jour. Il lui faudrait environ cinq heures pour arriver à Dallas. Cinq heures, les mains accrochées au volant et le cerveau envahi par la vision de Niki Keene.

Quand elle s'était approchée de sa table, dans le bar des Mitchell, il avait senti son rythme cardiaque s'accélérer et son estomac se nouer... Elle était si belle qu'il avait failli retirer ses lunettes noires pour mieux la dévisager. D'un autre côté, il avait également ressenti un certain agacement. A force d'entendre les gens parler d'elle, il avait l'impression qu'il s'agissait de leur idole. Jusqu'à présent, ce genre d'admiration lui était réservée, songea Clay avec une moue. C'était lui l'idole des foules, lui que l'on applaudissait sans réserve dans les plus grands concours de rodéo.

Il devait pourtant admettre que ce n'était pas la faute de Niki si elle entraînait dans son sillage des dizaines d'admirateurs. La jeune femme semblait étonnamment modeste et réservée. En fait, son seul défaut, c'était de refuser avec la plus grande obstination de participer au fameux concours. Elle n'avait pas envie d'être jugée comme une vache laitière, avait-elle dit.

Il esquissa un sourire. La belle n'avait pas tort.

Il fronça les sourcils, tout sourire envolé. Qu'allait-il dire à Eve Hubbard, le grand manitou de Hubbard Grand Ouest, et son patron par la même occasion?

Quatre heures plus tard, il était parvenu à se persuader tout seul des points suivants :

Primo, Niki Keene n'était pas aussi belle qu'on le disait. Evidemment, ses lunettes noires ne lui avaient pas facilité la tâche, mais il était prêt à parier que, s'il les avait ôtées, il aurait été déçu.

Secundo, si elle ne voulait pas participer à la finale du concours, ce n'était pas lui qui chercherait à la convaincre du contraire.

Tertio, elle ne devait pas être une lumière. Sinon, elle comprendrait tout de suite l'intérêt de ce concours, pour elle, pour son ranch, pour sa ville, et elle ne laisserait sûrement pas passer l'occasion d'y prendre part.

Satisfait, Clay se concentra sur la route. Il s'apprêtait à entrer dans la banlieue de Dallas et les véhicules devenaient de plus en plus nombreux. Une voiture passa tout près de lui, une jeune femme blonde au volant. Elle avait un blouson en jean, et cela lui rappela aussitôt la façon dont Niki portait les vêtements de Hubbard Grand Ouest. Bon sang, si jamais Eve la voyait, elle ne laisserait pas un tel mannequin lui filer entre les doigts!

Clay fit la grasse matinée au creux du grand lit qui meublait la chambre du luxueux appartement qu'Eve Hubbard avait mis à sa disposition pour la durée de son contrat avec sa société. Il prit le temps de s'étirer longuement comme un chat avant de procéder à sa toilette. Une fois douché et habillé, il avala un copieux petit déjeuner avant de se décider à aller affronter une journée de travail avec Eve Hubbard.

Le siège de la société occupait les deux étages les plus élevés d'un immeuble ultramoderne, d'acier et de verre, qui se dressait au cœur de Dallas. Voilà deux ans qu'il s'y rendait régulièrement. Eve l'avait recruté en effet comme porte-parole de sa société, et mannequin vedette occasionnel. Au début, Clay avait eu du mal à se laisser photographier en prenant la pose, et puis il s'y était habitué d'autant plus facilement que son salaire était conséquent.

Une hôtesse l'accueillit avec un large sourire dès qu'il pénétra dans le hall de réception.

— Monsieur Russell ! Je suis contente de vous revoir. Vous avez fait bon voyage ?

— Excellent, Marla, merci. Notre chère Eve est ici ?

Le sourire de Marla s'accentua.

— Elle vous attend. Depuis un bon quart d'heure, déjà.

Clay haussa les sourcils.

— Mais... Comment sait-elle que je suis à Dallas ? Normalement, je ne devais pas rentrer avant ce soir !

Marla haussa ses jolies épaules sous son tailleur bleu ciel.

— Je l'ignore. Mais on m'a dit qu'elle avait des yeux derrière la tête, un radar sur le sommet du crâne et des antennes dans les oreilles, lâcha-t-elle avant d'aller s'installer devant l'écran de l'ordinateur qu'elle avait délaissé pour accueillir Clay.

Pourquoi donc était-il aussi surpris ? se demanda ce dernier, tandis qu'il se dirigeait vers l'immense bureau qu'occupait Eve, avec vue panoramique sur la ville. Son P.-D.G. savait toujours tout avant tout le monde. En traversant la galerie agrémentée de colonnes qui menait au bureau, il eut la vague impression que l'on avait modifié la disposition des affiches représentant la prochaine campagne de publicité qu'Eve se préparait à lancer pour promouvoir sa nouvelle ligne de vêtements.

Il s'arrêta pile devant une affiche. Son sixième sens ne l'avait pas trompé. Cette affiche-là, il l'aurait reconnue entre mille. Elle avait été placardée sur les murs de toutes les villes du Texas, deux ans auparavant. On y voyait une charmante vieille dame au visage auréolé de cheveux blancs, que tous les journaux avaient surnommées « Mère Hubbard ». Réflexion faite, elle ressemblait fortement à la grand-mère de Niki, songea Clay en contemplant l'affiche. Le regard ferme, l'index pointé en avant, la vieille dame déclarait aux passants et aux badauds : « On devrait toujours écouter sa maman ! »

C'est exactement ce qu'il avait fait, se dit Clay en s'éloignant de l'affiche et en se rapprochant de la double porte de bois massif qui était celle du bureau de Eve. Il avait si bien écouté Mère Hubbard qu'il avait décroché ce travail, à des années-lumière du sable et de la sueur des pistes de rodéo. Un travail qui lui rapportait beaucoup d'argent.

La vraie « Mère Hubbard » n'avait rien à voir avec la charmante vieille dame de l'affiche. En fait, le contraste entre les deux était saisissant.

D'un âge indéfini — la cinquantaine, sans doute — Eve était grande, mince, blonde et incroyablement sophistiquée. De plus, elle avait un sens inné des affaires. D'instinct, elle avait su que son image ne correspondait pas, et ne correspondrait jamais, à celle des vêtements qu'elle dessinait. Voilà pourquoi elle avait choisi une actrice pour symboliser la marque qu'elle avait créée. Cette campagne publicitaire-là avait fait vendre des tonnes de vêtements. En fait, c'était une idée de génie, qui avait fait décoller les ventes. Quand l'actrice était morte d'un cancer, peu de temps après, Eve avait décidé de ne pas la remplacer. Elle avait préféré changer carrément sa stratégie en recrutant Clay, le plus célèbre champion de rodéo du continent, « pour faire prendre un nouveau départ à la société ».

— Je dessine ces vêtements par goût, et parce que c'est mon métier, avait-elle expliqué à Clay. Mais je suis incapable de les porter, alors que je les adore !

Les lèvres parfaitement ourlées de rouge pivoine d'Eve s'étaient incurvées en un petit sourire désabusé.

— C'est pour cela que j'ai dû me résoudre à organiser l'élection de Miss Hubbard Grand Ouest, avait-elle ajouté. Grâce à ce concours, je trouverai la candidate capable de représenter la marque et de projeter une image séduisante sur le public.

Elle avait fait un clin d'œil à Clay avant de susurrer :

— C'est pour toi que je le fais, mon chou. Un champion de rodéo se doit d'avoir une reine !

Clay ne se faisait aucune illusion. Eve avait démarré sa société avec une poignée de dollars, qu'elle avait su faire fructifier au cours des années. Hubbard Grand Ouest était aujourd'hui coté en Bourse. Eve possédait encore la majorité des actions, et n'avait pas quitté son fauteuil de président-directeur général. Elle menait son personnel à la baguette, avait la réputation d'être excentrique, et intimidait la plupart de ses interlocuteurs.

Habitué à monter des chevaux sauvages et à confronter des taureaux furieux, Clay la trouvait amusante.

Il poussa la porte de bois massif et pénétra dans une sorte de salle d'attente sur laquelle régnait la secrétaire personnelle d'Eve.

— Miss Hubbard vous attend, monsieur Russell, dit aussitôt l'employée en apercevant Clay.

Elle se leva précipitamment de sa chaise et s'empressa d'ouvrir la porte qui donnait sur le bureau de sa directrice.

Clay entra dans la pièce rectangulaire, dont le mur du fond, entièrement de verre, offrait un panorama unique sur la ville, et s'étonna une fois de plus de voir le décor ultramoderne dans lequel Eve se plaisait à travailler. Les murs blancs, l'épaisse moquette beige, les meubles en acier, contrastaient avec les vêtements en coton ou en lin, aux teintes chaudes, aux formes basiques, qu'elle dessinait. Une silhouette fine, vêtue de rouge coquelicot, se dirigea vers lui au pas de charge.

— Clay, mon chéri ! Je suis ravie de te voir.

Eve offrit à Clay une joue pâle pour qu'il y pose les lèvres.

— Bonjour, Mère Hubbard.

Elle répondit à la plaisanterie en étirant ses lèvres rouge vif et s'enquit aussitôt du travail effectué par son employé. Eve Hubbard ne perdait pas de temps en salamalecs, elle n'était pas non plus du genre à tourner autour du pot.

— Raconte-moi tout, exigea-t-elle.

Elle saisit un gros dossier posé sur son bureau et entraîna Clay vers un canapé de cuir noir.

— J'ai vu un certain nombre de jolies filles, commença-t-il.

— Au moins douze, intervint Eve, qui aimait la précision par-dessus tout.

Elle ouvrit le dossier et éparpilla sur le cuir du canapé les photos de jeunes femmes qu'il contenait.

— Que penses-tu de la candidate de Boulder? demanda-t-elle en prenant délicatement l'une des photos entre deux doigts aux ongles soigneusement vernis.

— Elle est jolie... Mais elle a un problème.

Eve dévisagea aussitôt Clay avec intensité.

— Lequel?

— Elle ne sait pas s'exprimer, indiqua le jeune homme. Dès qu'on lui met un micro devant la bouche, elle pique un fou rire.

— Bon, alors elle dégage, trancha Eve sans ambages, et elle prit une autre photo.

— Et celle de Denver? Elle est comment?

— Superbe, répondit Clay sans hésiter.

Il avait encore en tête de grands yeux verts et une poitrine plus que généreuse.

— Mais je me demande si elle n'est pas un peu... froide.

— Je crois que tu as raison. On ressent une certaine froideur, sur cette photo, murmura Eve en examinant avec soin le cliché. Voilà qui est bien ennuyeux...

Elle farfouilla parmi les photos, en retira une et la tendit à Clay avec un sourire plein d'espoir.

— Ne me dis pas que tu la trouves froide, celle-ci!

Quand le jeune homme aperçut le sourire éblouissant et les yeux d'un bleu tirant sur le violet sous les mèches blondes, un frémissement le parcourut tout entier. Non, celle-ci n'avait rien de réfrigérant. C'était plutôt une bombe.

— Elle habite Hard Knox, dit Eve en retournant la photo pour lire les informations qui étaient gribouillées sur l'envers. Tu l'as vue, n'est-ce pas? insista-t-elle.

— Oui. Elle... Elle a du potentiel, admit Clay.

Pour une raison qu'il ne parvenait pas à s'expliquer, il

26

n'avait guère envie de parler de la réticence de Niki à participer au concours. Une réticence qui s'apparentait plutôt à un refus obstiné, d'ailleurs.

— Bon, alors on la garde, déclara Eve, satisfaite. Voyons... Parle-moi de Miss Oklahoma, demanda-t-elle en prenant une autre photo.

Ils poursuivirent l'examen des candidates, dans le détail. Eve voulait tout savoir, notamment la façon dont la jeune fille se déplaçait, le charisme qu'elle dégageait, l'éclat de son regard, la chaleur de son sourire. Clay répondit de son mieux mais en son for intérieur, il fut obligé d'admettre qu'il n'avait observé ces aspects chez aucune des candidates. A l'exception de Niki Keene, celle qui ne voulait pas concourir.

— As-tu remarqué si l'une d'elles portait mes vêtements ? demanda Eve.

— J'en ai vu au moins une... C'était Niki Keene, celle de Hard Knox.

— Elle est vraiment jolie, dit Eve pensivement, en récupérant la photo de Niki parmi celles qu'elle avait mises de côté.

— Oui, mais...

— Elle est capable de parler devant un micro ?

— Je le pense, mais...

— En vrai, elle est aussi jolie que sur la photo ?

— Elle est encore mieux, mais...

— Bon, alors les jeux sont faits.

— Que veux-tu dire ?

— Que nous avons trouvé notre Miss Hubbard Grand Ouest. C'était le but de ta mission, non ?

— Je ne comprends pas, marmonna Clay en fronçant les sourcils.

— Qu'est-ce qui se passe, mon chou ? Tu n'as pas l'habitude de me voir prendre des décisions ?

— Si... Mais je croyais qu'il s'agissait d'un concours, protesta-t-il.

— C'en est un.

— Dans ce cas, pourquoi choisis-tu la gagnante ?

Eve éclata de rire.

— Ce que tu peux être naïf ! Voyons, Clay, tu sais bien que

j'ai un flair d'enfer. C'est pour cela que mes vêtements se vendent si bien...

Elle lui tapota le genou en souriant.

— Tu n'as pas oublié que c'est moi qui jugerai les candidates, le jour de la finale. Alors, que je juge maintenant ou plus tard, je ne vois pas la différence.

— A mon avis, c'est une différence que les candidates ressentiront, grommela Clay.

— Elles ne s'apercevront de rien. Ce sera notre petit secret.

— Je ne trouve pas cela très honnête, Eve. De plus, j'ai quelque chose à te dire, à propos de ta candidate préférée.

Eve se redressa, sans sourire, cette fois. Son regard se fit perçant.

— Je t'écoute.

— Niki Keene ne s'est pas montrée enthousiaste à propos de ce concours. Elle semblait même plutôt réticente.

C'était le moins qu'on puisse dire, songea Clay.

— Réticente ? répéta Eve, stupéfaite. Et comment a-t-elle manifesté cette réticence ?

— Le plus simplement du monde. Quand le maire lui a annoncé qu'elle avait été choisie comme candidate pour le titre de Miss Hubbard Grand Ouest, elle a répondu : « non merci ».

Eve écarquilla les yeux et demeura bouche bée quelques secondes. C'était la première fois en deux ans que Clay la voyait perdre le contrôle de ses expressions.

— Tu... Tu plaisantes ? bredouilla-t-elle.

— Non, et je le regrette, crois-moi.

— Alors, elle est cinglée. Quelle femme saine d'esprit refuserait une chance pareille ?

— C'est exactement ce que ses sœurs et ses amis lui ont dit. Elle leur a répondu que cela ne l'intéressait pas.

Eve se leva pour arpenter la moquette. Au bout d'un moment, elle s'arrêta et se campa devant Clay.

— Tu la trouves vraiment jolie ?

— Vraiment, répondit Clay sans l'ombre d'une hésitation.

— Et elle aime porter mes vêtements ?

— Elle était vêtue de pied en cap avec des articles de ta nouvelle collection. J'avoue qu'ils lui allaient comme un gant.

— Hmm... Dans ce cas, il faut la faire changer d'avis à propos du concours.

— Je ne pense pas que tu parviendras à la persuader d'y participer, lâcha Clay avec une moue dubitative.

— Tu as raison, car je ne vais même pas essayer. Cette tâche te revient, mon chou.

Ce fut au tour de Clay de demeurer bouche bée.

— Tu vas convaincre notre jolie Niki que son désir le plus cher est de devenir Miss Hubbard Grand Ouest, insista Eve en pointant le jeune homme du doigt.

— Comment veux-tu que j'y arrive ?

— Chéri, pour quelle raison t'ai-je engagé, à ton avis ? Je ne te verse pas un salaire mirifique pour que tu assistes à des galas de charité ou que tu signes des pétitions en faveur des animaux ! Si je te paie, c'est pour agir à ma place et faire certaines choses que je ne peux pas faire moi-même.

— Comme ?

— Comme séduire les jeunes filles, par exemple. Il faut que tu retournes à Hard Knox, Clay.

— Oh, non, gémit ce dernier. Il n'en est pas question.

— Bon, ne la séduis pas si tu veux. Mais il faut que tu la persuades d'une façon ou d'une autre de participer à la finale de notre concours. Bien entendu, ne lui dis pas que l'élection est faite dans ma tête et qu'elle est d'ores et déjà Miss Hubbard Grand Ouest.

Clay grinça des dents. La situation empirait de seconde en seconde.

— Franchement, Eve, je ne peux pas faire ça.

Un sourire narquois flottant sur ses lèvres parfaitement dessinées et impeccablement rougies, Eve se dirigea vers son bureau et en ouvrit un tiroir.

— Je crois que tu vas changer d'avis, mon chou. Il te suffira de relire un certain paragraphe inclus dans ton contrat d'embauche, dit-elle en brandissant un dossier qu'elle venait d'extirper du tiroir. Ce paragraphe indique que je suis en droit de mettre fin à ton emploi si tu refuses d'exécuter une mission pour moi, à condition que cette dernière n'entre pas en conflit avec ta carrière de champion de rodéo.

Clay bondit hors du canapé.

— Bon sang, Eve, si tu...

— Allons, mon chéri, ne t'énerve pas comme ça ! Tu vois bien que ce que je te demande n'est ni immoral, ni illégal. Tout ce que je veux, c'est que tu persuades la jolie Niki Keene d'être l'une de nos candidates, et ce, pour son plus grand bonheur !

— C'est surtout pour TON plus grand bonheur, Eve. Et la courbe de vente de tes vêtements.

— C'est juste, admit Eve avec un petit sourire satisfait. Comme cela, tout le monde sera content grâce à toi.

Que pouvait-il répondre ? Pendant qu'il cherchait en vain un argument, Eve lui caressa la joue.

— Tu connais mes intuitions, Clay. Je sens que c'est ce qu'il faut faire. Et je crois que tu le sens aussi, d'autant plus qu'après le concours tu recevras une grosse récompense.

Devant l'air renfrogné du jeune homme, elle poursuivit :

— Réfléchis un peu... Tu vas gagner de l'argent tout en t'amusant. Imagine-toi en train de jouer le rôle du prince charmant auprès d'une ravissante jeune femme pendant l'été... Ce n'est pas une offre qui se refuse, n'est-ce pas ?

Clay laissa échapper un soupir. La proposition était tentante. En fait, il mourait d'envie de connaître Niki de plus près. De beaucoup plus près.

— Je vais réfléchir, murmura-t-il.

Il ne voulait pas laisser Eve gagner trop facilement.

— Désolé, mon chou, mais le temps presse. Les journalistes nous attendent ce soir. Nous devons leur exposer les détails du concours, qui aura lieu chez moi, dans mon ranch. Je ne te l'avais pas dit ?

— Non, grommela Clay. Ravi de l'apprendre.

Le « ranch » en question était une propriété hyperluxueuse, située à quelques kilomètres de Dallas, dans laquelle étaient élevés quelques bovins et une demi-douzaine de chevaux, pour faire couleur locale et surtout pour servir de figurants dans les campagnes de publicité lancées par Eve. Bref, c'était le décor idéal pour mettre en scène une reine de beauté et ses demoiselles d'honneur.

Eve prit le bras de Clay et le poussa vers l'un des fauteuils de cuir disposés devant son bureau.

— Nous avons du travail, toi et moi. Il faut que l'on prépare la conférence de presse de ce soir, et je dois aussi te montrer les modèles de ma prochaine collection. Fais-moi confiance, Clay, tu ne vas pas regretter une minute d'avoir été embauché par Hubbard Grand Ouest.

Niki s'approcha de la table à laquelle était assis un homme d'âge mûr, au beau visage buriné doté d'une superbe moustache, et posa une chope de bière devant lui.

— Salut, Travis. C'est bien la première fois que je te vois en ville un mardi !

Travis Burke était le beau-père de Dani et le propriétaire d'un immense ranch à une trentaine de kilomètres de Hard Knox. Il lui sourit sous sa moustache, en plissant les yeux. Un sourire dont avait hérité son fils Jack, et qui avait séduit sur-le-champ la sœur de Niki.

— Mon père avait rendez-vous avec le Dr Wilson. Mais ce dernier a été retardé par une urgence et il y a un monde fou à sa consultation. Comme papa ne veut pas perdre sa place, il m'a demandé de lui chercher à manger. Je vais en profiter pour avaler quelque chose.

— Tu as choisi ?

— Un hamburger pour moi, et un à emporter... Et des frites.

— Je te les apporte dans cinq minutes.

Quand Niki revint avec la commande, Travis l'invita à s'asseoir auprès de lui.

— Il n'y a pas beaucoup de clients, à cette heure-ci. Et j'ai horreur de manger seul, gémit-il.

Niki obtempéra de bonne grâce. Travis assaisonna son hamburger avec soin, puis se tourna vers la jeune femme.

— Je me demande qui t'a inscrite au concours, marmonna-t-il.

— Je l'ai appris ce matin. C'est Mason Kilgore. Un photographe qui m'avait demandé d'être son modèle, quand je vivais dans le Montana. Il a eu la brillante idée d'envoyer l'un des portraits qu'il avait fait de moi à la société Hubbard Grand Ouest, qui m'a inscrite d'office.

— Quand a lieu l'élection? demanda Travis avant de mordre avec appétit dans son sandwich.

Niki haussa les épaules.

— Je l'ignore. De toute façon, je n'ai pas l'intention de me présenter.

— Tu pensais vraiment ce que tu as dit à Rosie, alors, observa Travis, l'air sombre.

— Evidemment! Tu sais très bien que...

— Nikiii!

Dylan déboula dans la salle et se précipita vers la table à laquelle était assise la jeune femme. Il semblait livide sous son chapeau. Une vague angoisse envahit Niki.

— Qu'est-ce qui se passe, Dylan? On dirait que tu viens de voir un fantôme...

— C'est ce que je viens de faire.

Il brandit un journal sous le nez de la jeune femme.

— Tu l'as vu?

— Quoi? Le journal? demanda Travis, entre deux bouchées.

— La photo, sur la première page! s'exclama Dylan, d'un ton qui frisait l'hystérie.

Il déplia fébrilement le journal et pointa du doigt un cliché en noir et blanc qui s'étalait sous un gros titre.

— Il faut le voir pour le croire, murmura-t-il en secouant la tête.

Niki se pencha. Quand elle aperçut le visage en gros plan qui souriait sur le journal, elle réprima un cri de surprise et se tourna vers Dylan, incrédule.

— Eh si, ma jolie... C'est lui! Clay Russell, le champion du monde de rodéo, en chair et en os! Quand je pense que j'étais assis à cette table, à côté de lui, et qu'on a discuté comme de vieux copains...

En proie à un léger vertige, Niki se concentra de son mieux pour déchiffrer la légende imprimée sous la photo.

— Clay Russell, lut-elle. Porte-parole officiel de la célèbre marque de vêtements Hubbard Grand Ouest...

Le journaliste indiquait ensuite que le champion bien connu organisait un concours pour élire la future reine des cow-boys, celle qui représenterait la marque pendant une année entière. Il citait douze noms, et celui de Niki était parmi eux.

La colère remplaça aussitôt la surprise chez la jeune femme.

— Comment ose-t-il? Il sait parfaitement que je ne participerai pas à ce maudit concours! Bon sang, je l'ai dit devant tout le monde!

— Ecoute, Niki, les femmes sont connues pour changer d'avis, marmonna Dylan, mal à l'aise. Et maintenant que tu sais qui organise le concours...

— Je m'en fiche! Que ce soit lui ou le pape, ça ne me fait pas le moindre effet!

— Réfléchis, Niki, intervint Travis en s'essuyant méticuleusement les doigts sur une serviette en papier. Ce serait une bonne affaire pour notre petite ville. Tu pourrais la promouvoir à travers tout le continent pendant un an. Imagine la publicité que cela nous ferait!

— Tu t'y mets, toi aussi? gronda Niki, les poings sur les hanches et les yeux étincelant de fureur.

— Tu y trouverais ton compte, insista Travis d'une voix adoucie. Pense aux voyages, aux cadeaux et à tout l'argent que cela te rapporterait.

— Je ne veux rien de tout ça!

Ce fut au tour de Dylan de lui susurrer:

— Et tu aurais la compagnie de Clay Russell. On te prendrait en photo avec lui, tu l'aurais à tes côtés pendant les tournées, tu pourrais le connaître vraiment bien!

Cette dernière suggestion la fit frémir. Chaque fois qu'elle pensait au mystérieux interlocuteur de Dylan, tout de noir vêtu, une phrase résonnait à ses oreilles:

« Je ne vois rien qui me tente, ici. »

Ce qui signifiait que la seule personne qui pensait qu'elle n'avait aucune chance était précisément l'organisateur du concours, songea-t-elle.

— Désolée, mais je me suis jurée de ne plus participer à un concours. Trouvez-vous une autre candidate, messieurs!

Sur ce, elle tourna les talons et se dirigea droit vers le bar où l'attendait un plateau pour la table 18.

La porte battante s'ouvrit en coup de vent derrière elle, et un client pénétra dans la grande salle, l'air excité.

— Eh, les gars... Vous avez vu la photo, sur le journal?

Une phrase qui fut le refrain de la journée...

Lorsque Niki ôta son tablier, le soir venu, elle n'aurait pu compter le nombre de fois où les clients lui avaient prodigué leurs conseils et leurs suggestions... Elle avait vu leurs regards incrédules ou déçus quand elle leur affirmait que rien ne la ferait changer d'avis. Elle en avait assez fait pour la renommée de Hard Knox, d'après elle.

— Hé, Niki...

Elle se retourna, le regard agressif. Si quelqu'un osait lui dire une fois de plus que...

Son regard s'adoucit en apercevant Miguel Reyes, un cow-boy qui n'avait cessé de la courtiser depuis son arrivée au Texas. Elle ne put s'empêcher de lui rendre son sourire et se prépara à entendre son commentaire sur la photo et l'article du journal.

— Je peux te parler? lui demanda-t-il, en tournant machinalement son chapeau entre ses doigts solides.

— Je t'en prie.

Miguel était gentil et séduisant. En fait, elle avait décidé qu'il serait la seule exception à la règle qu'elle s'était fixée de ne pas sortir avec un cow-boy. A condition, bien sûr, qu'il lui demande de sortir avec lui...

— Euh, Niki..., commença-t-il.

Elle haussa les sourcils. Aucun des clients de la journée n'avait paru gêné de lui faire des réflexions sur son attitude négative à l'égard du fameux concours. Pourquoi ce pauvre Miguel hésitait-il?

— J'ai quelque chose à te demander. Tu veux aller au cinéma avec moi, ce soir? dit-il très vite, le regard fixé sur son chapeau qui prenait des allures de toupie entre ses mains fébriles.

— Quoi? s'exclama-t-elle, stupéfaite.

Sa surprise ne fit qu'accentuer l'embarras de Miguel.

— Je sais que je m'y prends au dernier moment, et j'imagine que tu as prévu autre chose, murmura-t-il. Mais mon patron vient de me donner ma soirée, et je n'en aurai pas d'autre de libre avant un bon moment.

— Je suis désolée, Miguel. J'ai promis d'aider Tilly à organiser le pique-nique de samedi, pour nos hôtes.

Toute sa vie, Niki se demanderait pourquoi elle avait débité un tel mensonge à ce séduisant cow-boy. Déjà, elle se maudissait d'avoir refusé son invitation, mais il était trop tard pour faire marche arrière.

— Je comprends, marmonna-t-il. Une autre fois, peut-être... Bonsoir, Niki.

Elle le regarda s'éloigner, atterrée. Quelle mouche l'avait donc piquée? Brusquement, un visage flotta devant ses yeux.

Clay Russell... Le champion de rodéo, le roi des cow-boys, le porte-parole de Hubbard Grand Ouest. Bref, une star. En voilà un qui ne devait pas essuyer de refus, lorsqu'il demandait à une femme de sortir avec lui! se dit-elle en grinçant des dents. D'ailleurs, il n'avait même pas à demander. Il lui suffisait sans doute de claquer des doigts pour qu'une ribambelle de jolies filles se jettent dans ses bras... Ou à ses pieds.

Elle en connaissait au moins une qui ne tomberait pas sous son charme. Une certaine Niki Keene, de Hard Knox. S'il osait s'approcher d'elle, elle lui ferait mordre la poussière. Mais l'idée était absurde, car le beau Clay Russell ne risquait pas de revenir dans les parages. N'avait-il pas affirmé que rien ne le tentait, par ici?

3.

Clay mit le cap sur Hard Knox deux semaines plus tard. Deux semaines pendant lesquelles il avait rencontré les onze autres candidates. Il s'était fait photographier avec elles, pour permettre à Eve de voir le genre de couple qu'il formait avec chacune d'elles, et les avait longuement interrogées, afin d'être sûr qu'elles puissent parler en public, le cas échéant.

Niki Keene était la dernière sur sa liste. En effet, Eve avait décidé de créer un maximum de publicité autour de la tournée de Clay, en espérant que cela inciterait Niki à accepter de participer au concours... Ou du moins, que la pression serait trop forte pour qu'elle persiste dans son refus.

Eve était persuadée du succès de sa stratégie. Clay était plus dubitatif.

Il arriva à Hard Knox le dernier samedi de juillet, en fin d'après-midi. La petite ville avait fait les choses en grand : un comité d'accueil lui ouvrit la route, et il parada dans la rue principale précédé d'une fanfare et d'une demi-douzaine de majorettes en uniforme rouge et blanc. Ainsi escorté, il se retrouva au milieu du parc municipal, où se trouvait une estrade, comme la dernière fois. Rosie Mitchell l'y attendait de pied ferme, entourée de journalistes et de deux photographes. Ameutée par un article paru dans le journal local, une petite foule de curieux s'était rassemblée au pied de l'estrade.

— Bienvenue à Hard Knox, monsieur Russell ! clama

Rosie, en lui serrant la main entre les siennes avec un sourire enchanté.

— Appelez-moi Clay, je vous en prie.

Il scruta la foule derrière ses lunettes noires et faillit pousser un soupir de soulagement en apercevant un visage qu'il prit, une fraction de seconde, pour celui de Niki. Puis il entrevit un autre visage, presque identique, et il comprit qu'il se trouvait en présence des deux sœurs de la jeune femme.

Les sourcils froncés, il se tourna vers Rosie.

— Je ne vois pas..., commença-t-il.

— Mon cher Clay, ne vous inquiétez pas, nous savons pourquoi vous êtes ici, bien sûr, intervint Rosie, tout sourires.

Elle leva les mains pour attirer l'attention de la foule.

— Mesdames et messieurs, je vous présente Clay Russell, le champion du monde de rodéo ! Applaudissons-le bien fort !

Tandis que les applaudissements crépitaient, Clay remercia la foule d'un sourire éblouissant, tout en se demandant où diable était passée sa douzième candidate — la future Miss Hubbard Grand Ouest.

De nouveau, il se tourna vers Rosie.

— J'aimerais bien voir Mlle Keene. J'espère qu'elle...

— Oh, oui, bien sûr ! Mais nous avons prévu une petite manifestation d'abord, affirma Rosie avec enthousiasme.

Elle fit signe à l'un des hommes qui se tenait tout près de l'estrade. Il se pencha pour saisir un objet et se précipita pour la rejoindre.

— Permettez-moi de vous offrir la clé de notre ville. Vous êtes citoyen d'honneur de Hard Knox, maintenant, mon cher Clay !

Elle saisit la clé dorée que l'homme lui tendait pour l'offrir solennellement à Clay.

— Nous espérons que vous allez rester chez nous suffisamment longtemps pour apprécier la célèbre hospitalité texane, ajouta-t-elle, en lui faisant un clin d'œil.

Un peu ahuri, le jeune homme accepta avec bonhomie l'énorme clé symbolique en bronze doré, ainsi que sa nouvelle nomination de citoyen d'honneur.

— Je ne m'attendais pas à un accueil aussi chaleureux et je ne sais comment vous remercier, dit-il après s'être saisi du micro. Vous êtes vraiment formidables !

Il regarda Rosie du coin de l'œil.

— Et maintenant, j'aimerais bien rencontrer Mlle...

— Oh, mais vous allez rencontrer tout le monde, ne vous inquiétez pas ! affirma gaiement Rosie. Surtout pendant la séance d'autographes.

Sans laisser à Clay, abasourdi, le temps de répondre, elle lança à la foule :

— C'est le moment de monter sur l'estrade si vous voulez faire signer vos photos, les amis !

Pendant les deux heures qui suivirent, Clay s'appliqua à apposer son autographe sur les photos que les habitants de Hard Knox avaient pris le soin de se procurer à l'avance. Il eut beau scruter la file de ses admirateurs, il ne parvint pas à discerner le ravissant visage d'une blonde aux yeux si bleus qu'ils viraient au violet... Pas plus que ses sœurs, d'ailleurs. Celles-ci s'étaient volatilisées.

Voilà qui n'était pas de bon augure pour le succès de sa mission, se dit-il entre deux signatures. Mais pas question de se décourager. Il devait persuader Niki Keene de participer au concours, et il y parviendrait, quoi qu'il arrive.

Le bar était vide, ou presque. Accoudée au comptoir, Niki s'efforçait de son mieux de ne pas penser à ce qui se passait dehors. Elle n'avait aucune intention de revoir M. Russell. Celui qui lui avait dit, en la fixant droit dans les yeux, que rien, ici, ne le tentait.

Une insulte déguisée qu'elle n'était pas près d'oublier.

Ken, le mari de Rosie, était resté avec Niki pour assurer la permanence.

— Tu devrais aller retrouver Rosie au parc, Niki ! C'est pas très poli de refuser d'aller là-bas, tu sais... Russell est un champion national, et il est venu tout exprès pour toi ! dit-il à la jeune femme, d'une voix plaintive.

Grand, maigre, le cheveu rare et noir, il était physiquement le contraire de sa femme, une petite blonde rondelette.

— Laisse-moi tranquille, grommela Niki.

— Si tu veux. Mais cette pauvre Rosie va se prendre une claque en plein dans la figure, si tu ne la rejoins pas... Tu pourrais au moins y aller cinq minutes, juste pour la réputation de la ville, insista-t-il.

Niki leva les yeux au plafond.

— C'est ce que tu m'as dit quand tu m'as poussée à me présenter au concours de Miss Texas ! Je crois que j'ai fait mon devoir, en ce qui concerne Hard Knox. De plus, j'ai vingt-sept ans, et je me sens trop vieille pour les concours de beauté.

Agacée, elle s'approcha d'une table et se mit à en frotter la surface, qui était déjà immaculée et brillante. Derrière elle, la porte s'ouvrit brusquement et des pas résonnèrent sur le plancher de la grande salle. Un coup d'œil suffit à Niki pour se rendre compte qu'elle allait avoir droit à au moins deux sermons de morale : celui de Dani et celui de Toni.

— Vous avez faim, toutes les deux ? demanda-t-elle à ses sœurs avec une gaieté forcée. Ken vient justement de préparer des tomates grillées avec des boulettes de viande et...

— C'est toi qu'on vient chercher, Niki. Epargne-nous ton histoire de boulettes, grommela Dani d'un ton ferme.

— Tu ne peux pas laisser Rosie toute seule là-bas, c'est indécent, gronda Toni.

— Et très mal élevé, renchérit Dani, du haut de son nouveau statut de mère modèle.

— Rosie n'avait qu'à y penser avant, rétorqua Niki. Elle savait que je ne changerais pas d'avis.

— Mais ce Russell est tellement mignon, susurra Dani. Tu pourrais au moins accepter de te faire photographier avec lui !

— Combien de fois devrais-je vous dire « non » ? Trois petites lettres, une seule syllabe, ce n'est pourtant pas difficile à comprendre !

Les deux sœurs de Niki échangèrent un coup d'œil.

— Très bien, lâcha Dani. Nous respectons ta décision, et nous ne viendrons plus t'embêter.

— Au fond, je crois que tu as raison, admit Toni, d'un

ton soudain adouci. Si tu es contente dans ton train-train quotidien, il n'y a aucune raison que l'on cherche à t'en sortir.

— C'est vrai, poursuivit Dani, sans se soucier de l'air stupéfait de Niki. Tu vas du ranch au bar et du bar au ranch, sans jamais sortir de la ville...

— ... Ni même sortir tout court. Je veux dire, avec un homme, intervint Toni.

— Ça, c'est faux ! s'exclama Niki.

Dani haussa les sourcils.

— Ah, bon ? A quand remonte ton dernier tête-à-tête romantique ? demanda-t-elle.

— Et avec qui était-ce ? renchérit Toni en dévisageant Niki d'un regard perçant.

— Je... Je ne m'en souviens plus, avoua piteusement Niki.

Ses deux sœurs hochèrent la tête d'un air entendu.

— Tu vois ? Tu vis comme une petite vieille, et tu n'as que vingt-sept ans ! Si nous insistons tant pour que tu rencontres Clay Russell et que tu participes à ce concours, c'est pour t'arracher à ta routine, mon chou, expliqua Dani.

— Tu comprends ? Ce n'est pas pour Hard Knox que tu le feras. C'est pour toi, affirma Toni.

Niki soupira.

— Puisqu'il est inutile que je tente de vous convaincre que j'aime ma vie telle qu'elle est, le mieux est que je vous promette de réfléchir. Et maintenant, filez d'ici. J'ai du travail, déclara-t-elle en agitant son torchon à carreaux rouge et blanc.

Dani et Toni échangèrent un regard satisfait avant de tourner les talons et de sortir du bar.

— Seigneur, murmura Niki en les regardant s'éloigner. Si ma vie est aussi morne qu'elles le pensent, je risque de le devenir, moi aussi...

Peut-être que c'était déjà fait, songea-t-elle. Peut-être que, si elle n'avait pas reçu la beauté en cadeau de naissance, elle n'aurait même plus d'amis...

A ce train-là, elle risquait de tomber dans la dépression.

Clay Russell valait-il une dépression ? Voilà une question qu'elle n'avait pas fini de se poser.

Clay vit les deux sœurs de Niki réapparaître comme par enchantement et prendre place dans la file de ses admirateurs, qui commençait enfin à s'amenuiser. Quand ce fut leur tour de s'approcher de Clay, elles n'avaient pas de photo à faire signer. L'une d'elles lui tendit la main.

— Bonjour, monsieur Russell. Je suis Dani, et voici Toni... Nous sommes les sœurs de Niki Keene.

— Ravi de vous rencontrer, dit Clay aimablement. Niki n'est pas avec vous ?

— Justement... C'est à cause d'elle que nous sommes ici, intervint Toni, d'un air embarrassé.

— J'espère qu'elle va vous rejoindre bientôt. Les photographes aimeraient faire la séance photo avant la tombée de la nuit, poursuivit Clay, imperturbable.

— En fait..., commença Dani, avant de prendre une grande bouffée d'air et d'ajouter très vite :

— Niki ne viendra pas.

— Pourquoi ? demanda Clay, en haussant les sourcils.

— Parce que...

Dani lança un regard anxieux à Toni, qui se tourna alors vers Rosie. Cette dernière poussa un profond soupir avant d'avouer à mi-voix :

— Parce qu'elle refuse de participer au concours.

— Vous plaisantez ! s'exclama le jeune homme.

— J'aimerais bien, admit Rosie. Mais Niki dit qu'il s'agit d'un malentendu. Elle n'a jamais proposé sa candidature, c'est un de ses amis photographes qui l'a fait pour elle, sans lui demander son avis. Elle était furieuse quand je lui ai annoncé sa sélection, le 4 juillet. Et elle n'a pas changé depuis.

— Elle a été choisie pour participer à la finale d'un concours de beauté à l'échelon national... Si j'étais une femme, je le prendrais comme un compliment, observa Clay.

— Voyez-vous, Niki n'est pas une femme... Je veux dire qu'elle n'est pas une femme comme les autres, expliqua Rosie. Elle ne se soucie guère de sa beauté, et en plus elle est têtue comme une mule. Plus nous la harcelons, plus elle s'obstine dans son refus.

Au grand soulagement de Rosie et des sœurs de Niki, Clay ne se fâcha pas. Au contraire, il eut un sourire amusé.

— Je vois, murmura-t-il. En réfléchissant bien, je pourrais peut-être trouver le moyen de changer son état d'esprit.

La porte du bar des Mitchell s'ouvrit brusquement, pour laisser le passage à l'homme le plus séduisant que Niki ait jamais vu de sa vie. Il semblait à la tête d'un petit groupe d'hommes, qui marchaient derrière lui en file indienne.

Dans une cacophonie de rires et d'exclamations, les hommes prirent place autour de la plus grande table de la salle. Dylan Sawyer frappa le bois du plat de la main et se tourna vers Niki.

— C'est ma tournée, aujourd'hui ! Niki, apporte-nous des bières, s'il te plaît. On fête l'arrivée en ville de mon copain, le célèbre Clay Russell !

— J'arrive, marmonna Niki.

Tout en s'efforçant d'éviter le regard du célèbre Clay, elle se précipita derrière le comptoir pour aider Ken qui était déjà en train de remplir les chopes.

Pourquoi diable était-il revenu ? ne cessait-elle de se demander, tout en posant l'une après l'autre les chopes emplies d'une bière mousseuse sur un plateau. La première fois, elle l'avait trouvé incroyablement attirant, malgré ses lunettes noires et sa façon de se dissimuler, comme s'il cherchait à l'épier. Aujourd'hui, il ne portait ni lunettes ni chapeau, et il dégageait un magnétisme puissant, indiquant qu'il était venu en conquérant, et non en espion.

Un sourire plaqué sur ses lèvres pulpeuses, la jeune femme servit les boissons en s'arrangeant pour ne jamais croiser le regard de Clay.

— Bonjour, Niki.

Elle frémit en entendant la voix grave, très virile.

— Bonjour, monsieur Russell, répondit-elle d'une voix aussi polie que neutre. Je ne pensais pas vous revoir. La dernière fois, vous m'aviez dit que rien ne vous plaisait, ici.

Il lui fit un sourire éblouissant.

— J'avais tort, admit-il. J'ai envie de vous, Niki Keene...

Les yeux et la bouche de la jeune femme s'arrondirent simultanément. Avait-elle bien entendu ? se demanda-t-elle, stupéfaite.

— J'ai envie de vous voir gagner le titre de Miss Hubbard Grand Ouest, poursuivit Clay, toujours souriant. C'est une opportunité fantastique, et je suis sûr que vous ne regretterez pas d'avoir tenté votre chance.

— C'est très gentil de votre part, mais j'ai déjà pris ma décision à ce sujet, monsieur Russell.

— Clay, murmura-t-il. Appelez-moi Clay.

Comme si elle ne l'avait pas entendu, Niki lança un regard autour de la table.

— Vous êtes tous servis et je vous laisse... Excusez-moi, monsieur Russell, mais j'ai du travail, déclara-t-elle en s'apprêtant à tourner les talons.

— Pas si vite.

Leurs regards se croisèrent et se défièrent. Autour d'eux, le silence se fit.

Clay se leva lentement.

— Il faut que je vous parle, dit-il d'un ton très ferme.

Instinctivement, Niki fit un pas en arrière.

— Désolée, mais je...

— J'ai fait un long voyage pour venir jusqu'ici, l'interrompit Clay. Des centaines de kilomètres, juste pour vous parler. J'espère que vous aurez la gentillesse de m'accorder un entretien ?

Déconcertée, Niki hésita. Elle sentait confusément que la situation lui échappait.

— Eh bien...

— Y a-t-il un endroit où nous pourrions discuter tranquillement ? insista Clay, le regard toujours rivé sur celui de la jeune femme.

Comme elle tardait à répondre, il eut un léger sourire.

— Ne me dites pas que vous avez peur de moi, railla-t-il.

Dylan, qui n'avait pas perdu une miette de la conversation, intervint aussitôt :

— Niki n'a peur de rien ni de personne ! Je l'ai même vue sortir un client du bar... Pas vrai, Niki ?

La jeune femme hocha imperceptiblement la tête. Comment avouer que ce n'était pas de la peur qu'elle ressentait en ce moment, mais une vraie panique ? Jamais un homme ne l'avait mise dans un tel état.

Pourtant, l'intervention de Dylan lui fit du bien. Elle leva le menton et soutint le regard brillant de Clay.

— Je suppose que vous allez me harceler jusqu'à ce que j'accepte cet entretien, monsieur Russell ?

— Vous supposez bien, mademoiselle Keene.

— Dans ce cas, suivez-moi.

Elle pivota et traversa la salle, sans voir le sourire radieux que Clay arborait, après lui avoir emboîté le pas avec enthousiasme.

Niki avait une chute de reins bouleversante, songea Clay tandis qu'elle l'entraînait vers une petite porte, tout au fond de la salle. Et un balancement des hanches à vous donner le tournis. Quant à ses jambes...

— C'est ici.

Il releva la tête et faillit rougir comme un adolescent pris en flagrant délit de voyeurisme. Devant son air légèrement hébété, Niki haussa un sourcil.

— Vous avez changé d'avis ?

— Non... Non, sûrement pas !

Il pénétra à sa suite dans une pièce qui servait de bureau à Rosie.

— Je ne peux pas rester longtemps, annonça Niki. Alors, je vous écoute.

Négligeant le ton pressé de la jeune femme, Clay s'assit dans l'un des trois fauteuils en toile disposés autour d'une table encombrée de documents, et la dévisagea en prenant son temps.

— Pour commencer, dites-moi pourquoi vous laissez tomber le concours.

— Figurez-vous que je ne m'y suis jamais inscrite, rétorqua-t-elle. Tout comme je ne me suis jamais inscrite aux autres concours de beauté que j'ai gagnés... Chaque fois, ce sont mes sœurs ou des amis qui ont présenté ma candidature, et je me suis retrouvée devant le fait accompli. J'ai décidé que j'en avais fait assez pour promouvoir la ville, le ranch ou la famille. J'arrête les concours. A partir de maintenant.

— Mais celui-là n'est pas comme les autres, insista Clay, très sérieux tout à coup. Il est organisé à l'échelon national, et il peut vous rapporter beaucoup, à vous et à tous ceux qui vous entourent.

Elle le fixa en silence sous ses longs cils épais et recourbés.

— Vous ne me répondez pas ? demanda-t-il au bout d'un moment, étonné.

— A quoi bon ? Ce que vous me dites, je l'ai déjà entendu. Une bonne centaine de fois.

Il hocha la tête.

— D'accord, Niki... Je n'ai pas d'arguments supplémentaires pour vous convaincre. Si vous dites « non », tant pis pour moi et tant pis pour Hard Knox... Je vous demanderai simplement de faire une petite concession, ajouta-t-il en lui coulant un regard en biais.

Elle se raidit, aussitôt sur ses gardes.

— Laquelle ?

— Auriez-vous la gentillesse d'attendre un peu, avant d'annoncer officiellement que vous vous retirez de la course ? J'aimerais être le premier à informer Eve Hubbard de votre décision, et je ne la verrai pas avant la semaine prochaine. Ou bien...

Il la regarda, l'œil brillant, comme s'il était sous le coup d'une inspiration soudaine.

— Faites comme si vous acceptiez... Au pire, si vous persistez dans votre refus, vous ne vous présenterez pas à la finale, voilà tout.

— Je ne vois pas l'intérêt d'un tel simulacre, murmura-t-elle, pensive.

— Moi, je le vois. Eve Hubbard est un peu excentrique et un brin soupe au lait. Elle attache beaucoup d'importance à ce concours, et je sais qu'elle sera odieuse pendant tout le mois qui le précède si elle sent qu'il y a un grain de sable dans les rouages.

Il se mordit la lèvre en se maudissant intérieurement. La belle Niki Keene n'allait pas apprécier qu'il la compare à un grain de sable !

Surpris, il la vit demeurer silencieuse un moment et s'attendit au pire. Une riposte cinglante, un départ sur les chapeaux de roues avec un claquement de porte en prime, une explosion de colère...

Elle sourit.

— Cela fait deux concessions, dit-elle avec un brin d'ironie dans la voix. J'espère qu'il n'y en a pas d'autres.

— Si... une toute petite dernière, susurra-t-il, l'air implorant. Il s'agit des deux photographes qui attendent patiemment depuis le début de l'après-midi de vous prendre en photo.

— J'ai horreur de ça.

— Moi aussi.

— Vous ? Alors que vous faites la une de la plupart des magazines au moins une fois par mois ?

Ainsi, elle l'avait remarqué... Il réprima un sourire.

— C'est mon boulot, admit-il. Mais je pourrais vous dire la même chose. Vos photos s'étalent sur tout le mur du fond, dans le bar.

Niki rougit... Elle ne cesserait donc jamais de l'étonner ? se demanda-t-il, en admirant secrètement le rose profond qui colorait ses joues. Seigneur, qu'elle était belle !

— Je n'étais pas d'accord, grommela-t-elle.

— Pourtant, vous avez accepté, sans doute pour faire plaisir aux Mitchell. Pourquoi ne pas continuer ? Cela permettrait aux photographes de faire le boulot pour lequel ils sont payés, et aux Mitchell d'ajouter un cliché à leur collection. Alors, vous êtes d'accord ?

Elle hésita et fixa ses mains en soupirant.

— Bon... Quelques photos seulement. Mais pas de concours, c'est bien compris ?

— Si vous ne changez pas d'avis avant le mois prochain, murmura-t-il.

— En tout cas, ce n'est pas en me harcelant que vous y parviendrez.

Il se leva en souriant et lui prit le bras.

— Venez... On nous attend.

Elle aurait dû se méfier de lui en voyant son sourire satisfait. Il ressemblait à un chat qui vient d'attraper la souris qu'il guettait depuis des heures.

Il aurait dû se méfier en la voyant accepter ses concessions, une par une. Il pensait avoir gagné la bataille. Il ne se doutait qu'il y en aurait encore toute une série et qu'il était loin d'avoir remporté la guerre...

Niki aurait accepté n'importe quel compromis. Comment pouvait-elle discuter, alors qu'elle ne parvenait même plus à respirer ? Le regard de Clay la fascinait, sa présence la pétrifiait, son magnétisme l'envoûtait. Elle ignorait pourquoi... Sans doute était-ce une simple attirance sexuelle, se dit-elle pour se raisonner. Simple ? Elle n'osait même pas imaginer ce que serait une attirance plus complexe !

Clay l'entraîna vers la table à laquelle étaient assis les deux photographes.

— Mlle Keene est prête pour la séance de photos, affirma Clay gaiement.

Tom Martinez, qui était aussi le rédacteur en chef du journal local, eut un large sourire.

— Avec un modèle comme Niki, je sais que mes photos seront toujours réussies. Ça valait le coup d'attendre des heures, dit-il en faisant un clin d'œil à la jeune femme, qu'il connaissait bien.

— Je suis du même avis, renchérit Ed Davis, le photographe qui faisait partie de l'équipe de Hubbard Grand Ouest.

Le regard brillant d'admiration, il se leva et saisit le sac contenant son matériel qu'il avait posé à ses pieds.

— On y va?

— On y va, marmonna Niki, en se demandant comment Clay avait réussi à lui extorquer son accord.

Le soleil se couchait, et Niki avait envie d'en faire autant. La « petite » séance de photos durait depuis deux heures, et elle avait fait de son mieux pour satisfaire tout le monde, c'est-à-dire les photographes, les Mitchell et Clay. Elle avait posé dans tous les coins et recoins du bar, et réprimait avec peine ses bâillements.

— Allez, Niki, on en fait une dernière, exigea Tom Martinez. Va près du comptoir.

— Je verrai bien une scène plutôt romantique, avec le coucher de soleil par-derrière, annonça Ed Davis.

— Bonne idée! Mais je préfère une scène d'intérieur, la lumière est meilleure. Près du bar, par exemple.

L'enthousiasme des deux photographes était contagieux. En trois minutes, Rosie et Ken furent placés derrière le bar, tandis que Clay et Niki se trouvaient devant.

— Assieds-toi sur l'un des tabourets, Niki, demanda Tom.

— Euh, non... Je ne crois pas que ce soit une bonne idée de...

Deux mains la saisirent par la taille, la soulevèrent du sol et la juchèrent sur le tabouret avant qu'elle ait eu le temps d'achever sa phrase. Le souffle coupé, elle lança un regard stupéfait à Clay, et se noya dans les eaux sombres de ses yeux. Entre eux, le courant passait avec une telle intensité que le simple fait de se toucher les fit frémir de la tête aux pieds.

Ce fut Clay qui parvint à détourner la tête le premier, permettant ainsi à Niki de reprendre ses esprits. Elle sourit béatement aux photographes qui sautaient de table en table, l'appareil collé à la rétine, à la recherche du meilleur angle.

— Tu es trop loin, Clay... Rapproche-toi de Niki.

— Oui, c'est ça... Maintenant, pose ton bras sur le comptoir... Non, passe-le plutôt autour de sa taille. Ce sera parfait !

Clay n'hésita qu'une fraction de seconde avant de s'exécuter. Niki sentit une chaleur brûlante lui enserrer la taille tandis qu'il l'enlaçait lentement. De nouveau, leurs regards se croisèrent. Alors, les yeux rivés sur les prunelles sombres de son partenaire, Niki se pencha et glissa une main derrière la nuque de ce dernier.

— Bravo ! s'exclamèrent en chœur les deux photographes, avant de faire crépiter les flashes.

— Clay, ce serait bien si tu restais un ou deux jours dans le coin, lança soudain Ed, entre deux photos. J'aurais le temps de faire développer ces pellicules et de prendre d'autres photos en extérieur, cette fois, avant de rentrer à Dallas.

— Tu as raison, répondit Clay sans quitter Niki des yeux. Je crois que je vais demander l'hospitalité au ranch du Bar-K.

Il entendit Niki réprimer une exclamation de surprise et resserra son bras autour de la taille de la jeune femme juste à temps pour lui éviter de tomber du tabouret.

49

4.

Une voix perçante rompit le silence relatif.

— Yaoooh! Vous allez rester avec nous... C'est super!

Les bottes de Dylan martelèrent le carrelage tandis qu'il s'approchait de Clay et de Niki.

La vue du jeune cow-boy rompit enfin le charme sous lequel Clay la tenait captive.

— Pas au ranch, en tout cas. Désolée, mais c'est impossible... Tous les bungalows sont loués jusqu'à l'automne.

Elle aurait bien dit qu'ils étaient loués jusqu'à la fin des temps pour dissuader Clay, si elle n'avait pas craint de friser le ridicule.

— Vous devriez essayer le ranch de Travis, il doit avoir encore quelques chambres, ajouta-t-elle, soulagée à l'idée qu'une bonne trentaine de kilomètres allait la séparer du danger ambulant que représentait Clay.

— Non, merci. Je vais quand même tenter ma chance au Bar-K. J'aime bien vos sœurs, rétorqua Clay avec un sourire narquois.

Il lisait en elle comme dans un livre ouvert.

— J'ai besoin d'un endroit tranquille pour me reposer et panser mes plaies, ajouta-t-il doucement.

Effectivement, il avait été blessé, et gravement. Niki l'avait lu dans l'un des magazines qui traînaient en permanence chez les Mitchell. Il avait décidé de travailler chez Eve Hubbard en attendant que les médecins lui donnent le feu vert pour revenir sur les pistes de rodéo.

Voilà pourquoi il battait la campagne et les petites villes paumées comme Hard Knox, à la recherche de jolies filles, songea-t-elle.

— Vous avez plutôt l'air en forme, pour un blessé, lâchat-elle d'un ton ironique, avant de se retourner pour marcher vers le vestiaire.

— Où allez-vous?

— Chez moi.

— Dans ce cas, je vais vous suivre. Votre charmante grand-mère aura peut-être pitié de moi...

— Sûrement pas. Elle est très dure, mentit Niki.

— C'est pas vrai, intervint Dylan, qui avait emboîté le pas à son idole et suivait tous ses mouvements d'un œil extasié. Et de toute façon, vous pourrez toujours loger avec moi, dans le dortoir des cow-boys!

— C'est gentil, Dylan. Mais j'avais autre chose en tête, murmura Clay.

Niki se tourna vers les Mitchell, qui écoutaient la discussion avec intérêt.

— Bonne soirée et à lundi, leur dit-elle avec un signe de la main.

Puis elle sortit de la salle, Clay sur ses talons et Dylan fermant la marche.

Par malchance pour Niki, il y avait foule au ranch, ce soir-là. Les membres de sa famille se mêlaient aux touristes et aux hôtes de toutes sortes qui louaient les bungalows et les bâtiments annexes pour quelques jours ou parfois pour un mois entier. Les nombreux fauteuils à bascule disposés devant le porche de la maison principale étaient occupés par les adultes qui sirotaient du thé glacé, tandis que les enfants couraient un peu partout dans un joyeux brouhaha, en piochant fréquemment dans les grands plats contenant des cookies et autres friandises.

A peine sortie de sa voiture, Niki sentit tous les regards converger vers elle. Ou plutôt, sur le couple qu'elle formait avec Clay qui la serrait de près pendant qu'ils remontaient l'allée menant au ranch. Tilly se leva pour les accueillir.

— Bonsoir, Niki chérie... Je parie que vous êtes M. Russell, dit-elle aimablement en se tournant vers Clay, après avoir déposé un baiser sur la joue de Niki.

Elle tendit la main au jeune homme.

— Je suis la grand-mère de Niki. Tilly Collins.

— Je suis heureux de vous rencontrer, madame Collins.

Il lança un coup d'œil autour de lui, l'air admiratif.

— J'adore cet endroit. J'aimerais beaucoup y rester quelques jours... Peut-être vous reste-t-il un bungalow à me louer ? Cela fait deux semaines que je voyage, et j'avoue que j'ai besoin de repos.

— Je lui ai déjà dit que c'était impossible, Granny, intervint Niki. Nous n'avons plus une chambre de libre.

— Oh, je crois que nous allons pouvoir nous arranger, affirma Dani qui venait de les rejoindre.

— Dylan m'a proposé un lit dans son dortoir, murmura Clay avec un sourire en coin.

— Non, nous pouvons faire mieux, déclara Dani qui tenait décidément à prendre les choses en main.

Elle lança un coup d'œil à sa grand-mère.

— Après tout, depuis que Toni et moi sommes parties de la maison, nos chambres restent vides, n'est-ce pas, Granny ? Nous pourrions y loger Clay.

— Ah, non... Ça, c'est impossible ! s'exclama Niki, indignée.

— Pourquoi ?

La question demeura en suspens dans l'air lourd de cette soirée d'été. Les regards se tournèrent vers elle, emplis de curiosité. A l'exception de celui de Clay, qui était simplement amusé. Il savait exactement pourquoi Niki protestait avec tant de véhémence.

— Parce que... Parce que notre maison est notre maison, bredouilla la jeune femme, le rouge aux joues. On ne va pas y accueillir n'importe qui... Je veux dire, un étranger.

Un sourire indulgent aux lèvres, Tilly tapota l'épaule de sa petite-fille.

— Voyons, chérie, Clay n'est pas un étranger. Du moins, il ne l'est plus pour nous, maintenant. Et nous n'avons pas l'occasion d'accueillir une célébrité comme lui tous les jours, ajouta-t-elle, pragmatique. D'ailleurs, regarde... Je crois qu'il va avoir beaucoup de succès, ici aussi.

Effectivement, Niki vit qu'un cercle s'était formé autour d'eux. Les enfants comme les parents fixaient Clay en le dévorant des yeux. Elle était convaincue que ce n'était pas seulement à cause de ses victoires en tant que cavalier que Clay attirait autant les regards. Son expérience personnelle lui avait donné la preuve qu'il avait un charisme hors du commun. S'il demeurait suffisamment longtemps au ranch, les gens risquaient de vouloir louer des chambres à vie !

— Ce n'est pas parce qu'il est célèbre que nous sommes obligés de l'inviter chez nous, grommela Niki à mi-voix, à l'intention de sa grand-mère.

Mais Clay avait l'ouïe fine.

— Si vous avez la gentillesse de m'accueillir, madame Collins, je me ferais un plaisir de vous donner un coup de main au ranch, déclara-t-il, la main sur le cœur et la voix mielleuse.

— Dans ce cas, considérez-vous comme un membre adoptif de notre petite famille ! dit gaiement Tilly.

Joignant le geste à la parole, elle passa son bras sous celui de Clay et s'avança vers la petite foule qui les observait.

— Mes amis, j'ai le plaisir d'accueillir parmi nous un invité très spécial : le célèbre champion de rodéo, Clay Russell, qui va passer quelques jours parmi nous. Clay, permettez-moi de vous présenter John...

Tandis que Tilly se chargeait des présentations, Niki se mit à arpenter la terrasse de bois, les sourcils froncés. Dani lui apporta un verre de thé glacé, l'obligeant ainsi à interrompre ses déambulations.

— Alors ? Tu as pris une décision, à propos du fameux concours ? demanda-t-elle avec curiosité.

Niki haussa les épaules.

— Je n'ai pas changé d'avis. J'ai juste accepté de ne pas refuser officiellement. Je ne me présenterai pas à la finale, voilà tout. Il a tellement insisté que j'ai fini par céder, mais je ne comprends pas son raisonnement.

Dani coula un regard en biais vers sa sœur.

— J'avoue que c'est le genre d'homme qui ferait céder n'importe quelle femme, murmura-t-elle.

— Pourquoi dis-tu cela? C'est ridicule, gronda Niki.

— Hé, du calme, mon chou! Je dis simplement que Clay a beaucoup de charme et qu'il sait s'en servir. Mais tu me sembles bien nerveuse... En fait, tu as les nerfs à vif depuis le pique-nique du 4 juillet. Est-ce que tu vas bien?

— Aussi bien que possible, malgré les commentaires de mes deux sœurs concernant la vie extraordinairement monotone et ennuyeuse que je mène, rétorqua Niki.

— Nous n'avons pas dit cela, protesta Dani. Nous pensons simplement que tu passes ton temps à travailler sans jamais vouloir sortir, et nous trouvons que c'est dommage.

— Il m'arrive de sortir, quand même!

— Alors, prouve-le-nous. Montre-nous que tu as encore le goût du risque et de l'aventure, et que tu aimes toujours t'amuser.

— En me présentant à la finale du concours organisé par Hubbard Grand Ouest, par exemple? suggéra Niki d'un ton narquois.

Dani rit doucement.

— Mais non... Je pensais plutôt à Clay Russell. Puisque tu l'as à portée de main, tu pourrais en profiter pour mettre un peu de piment dans ta vie, lança Dani avec un clin d'œil, avant de s'éclipser pour rejoindre son mari.

Seule sur la terrasse, Niki but son thé glacé à petites gorgées tout en réfléchissant. Si elle décodait bien le message de Dani, elle était censée séduire Clay et s'offrir une aventure avec lui. Ce qui était absurde, car le beau, le célèbre Clay Russell était une star nationale, elle n'était qu'une vedette locale. Il était le porte-parole d'une marque de vêtements branchés, elle détestait parler en public. D'après les photos publiées par les magazines, il aimait sortir et faire la fête tandis qu'elle souhaitait, au plus profond de son cœur, qu'un homme voie un jour en elle une femme toute simple et sans prétention, plutôt qu'une reine de beauté.

Voilà pourquoi, au lieu d'aller se pomponner pour le

séduire, elle pénétra dans la grande cuisine du ranch et se mit à éplucher les pommes de terre destinées au dîner.

La soirée fut très bruyante, au goût de Niki. Plus les gens s'agglutinaient autour de Clay, plus ce dernier souriait et leur racontait ses exploits. Il avait gagné sa célébrité à la force du poignet, se dit-il en répondant aux questions les plus incongrues que lui posaient ses admirateurs. Il ne devait rien à personne et avait le droit de profiter d'un peu de bon temps dans ce superbe ranch, parmi ces gens cordiaux et charmants. Plus il les connaissait, plus il appréciait les Keene, et le courant semblait passer dans les deux sens... Pour lui, la soirée aurait été parfaite si Niki avait bien voulu l'écouter comme les autres, d'un air admiratif.

Mine de rien, il loucha vers la jeune femme. Elle s'était assise à l'autre bout de la table, le plus loin possible de lui, et dessinait du bout de sa fourchette des arabesques sur la nappe sans participer à l'animation générale. Perdue dans son rêve, elle ressemblait à une princesse aussi belle qu'inaccessible. Attendait-elle qu'un chevalier accoure vers elle pour l'éveiller d'un baiser?

A cette idée, il frémit de la tête aux pieds. Voilà une mission dont il saurait s'acquitter, se dit-il, sûr de lui. Il saurait l'éveiller et la faire sourire... D'ailleurs, pourquoi arborait-elle cet air si sérieux qu'il frisait la tristesse? Quel événement, quel drame peut-être, avait marqué sa vie assez profondément pour que de temps à autre un voile de mélancolie vienne ternir l'éclat de ses magnifiques yeux bleus?

— Et alors? T'as fait quoi, quand le cheval s'est cabré?

La voix de fausset d'un adolescent le ramena promptement à la réalité. Il reprit le fil de l'histoire qu'il était en train de raconter sur sa vie dans le circuit des rodéos avant que la vision de sa belle princesse ne lui fasse tout oublier.

Quand Niki quitta la table pour se rendre dans la cuisine, il n'eut même pas besoin de tourner la tête pour suivre chacun de ses mouvements. Quand elle revint et déposa une immense tarte à la noix de coco au milieu de la table, il lui suffit d'un regard pour se laisser fasciner de nouveau. Il se sentait relié à elle par un cordon invisible et sa seule présence suffisait pour démultiplier ses perceptions... Ce qui était un augure favorable pour le développement d'une relation plus intense, plus intime, décida-t-il.

— Faites comme si je n'étais que l'un de vos palefreniers, déclara Clay. Je vous paierai le double de ma pension si vous acceptez de me traiter comme n'importe quel autre cow-boy du ranch.

Niki n'en croyait pas ses oreilles.

— Vous êtes cinglé... Je suppose que c'est à la tête que vous avez été blessé, à votre dernier rodéo !

Il rit doucement.

— Je ne vous dirai pas où se trouve ma blessure, mais ce n'était pas à la tête. Mon cerveau va très bien, merci. J'ai besoin de travailler, Niki, ajouta-t-il plus sérieusement. Cela me permettra de voir si je peux envisager mon retour dans l'arène.

— C'est une bonne idée, Clay, affirma paisiblement Tilly. D'ailleurs, je ne vois pas pourquoi nous vous empêcherions de faire ce que vous souhaitez pendant que vous êtes ici.

Niki sentit le rose lui monter aux joues. Pour elle, cette phrase anodine avait un double sens. Et elle n'avait aucune envie de penser à ce que Clay désirait vraiment faire, pendant qu'il était au ranch.

— Je vous remercie, madame, répondit le jeune homme avec un sourire satisfait.

Tilly hocha la tête et réprima un bâillement. Il était près de 11 heures, ses hôtes avaient regagné leurs chambres, et elle avait décidé de boire une tisane en compagnie de Clay et de Niki tout en bavardant de choses et d'autres.

— Je vais me coucher, annonça-t-elle. Sinon, je n'entendrai jamais la sonnerie de mon réveil demain matin !

Elle se tourna vers sa petite-fille.

— Niki, tu accompagneras Clay jusqu'à sa chambre et tu

lui montreras où se trouve tout ce dont il pourrait avoir besoin, d'accord? Je vous souhaite bonne nuit à tous les deux, murmura-t-elle d'une voix déjà ensommeillée, en se dirigeant vers l'escalier.

Niki se mordit la lèvre. Pourquoi diable sa grand-mère la chargeait-elle de ce genre de tâche? Ne voyait-elle pas qu'elle la mettait dans l'embarras?

— Allez chercher vos affaires, Clay. Je vous attends ici, murmura Niki sans le regarder.

— Accompagnez-moi, dit-il en se levant.

Il lui tendit la main.

— Non.

— Poule mouillée, chuchota-t-il. Je vous promets que je ne mords pas.

— Moi, si, grommela-t-elle.

Avec un soupir, elle se leva à son tour et passa devant lui, tête haute.

Dès qu'elle fut sous le porche de la grande maison, elle se sentit mieux. Lorsque Clay se trouvait dans la même pièce qu'elle, l'atmosphère devenait vite étouffante.

Elle aspira une grande bouffée d'air tiède, embaumé, et leva son visage vers la lune ronde et pleine qui barrait le passage aux ténèbres.

— Quelle nuit magnifique...

La voix liquide, veloutée, la fit tressaillir. Comment avait-elle pu oublier Clay une fraction de seconde? Il était constamment aux aguets, prêt à l'épier, à la suivre, à la harceler. A la troubler. Les nerfs à vif, elle marcha vivement vers la jeep du jeune homme. Si vivement qu'elle courait presque quand elle l'atteignit. En silence, mais l'air amusé, Clay extirpa du véhicule un gros sac à dos et en passa une sangle sur son épaule.

— On fait la course jusqu'à la maison? demanda-t-il, narquois.

Elle réprima un début de fou rire et s'adossa à la portière le temps de reprendre son souffle et ses esprits. Jamais elle ne s'était sentie aussi proche de la crise d'hystérie. C'était à cause de la fatigue. Ou de la chaleur. Sans doute des deux à la fois, se dit-elle, revenant vers la maison.

La haute silhouette de Clay se campa devant elle, ses yeux sombres plongèrent dans les siens. Il ne riait pas.

— Nous ferions mieux de rentrer, Niki. Vous êtes beaucoup trop belle, sous ce clair de lune... Je risque de perdre mon sang-froid à tout moment, la prévint-il.

Les yeux de la jeune femme s'élargirent.

— Voyons, Clay, c'est ridicule...

— Non, c'est vrai, affirma-t-il.

Il fit glisser la sangle de son épaule et le sac atterrit avec un bruit mat sur le sol.

— On dirait que votre beauté vous gêne, Niki.

— Pas du tout, murmura-t-elle, la gorge serrée.

— Oh, si...

Il tendit la main et caressa la joue fraîche, satinée, de la jeune femme.

— Vous êtes belle à couper le souffle et ça n'a pas l'air de vous plaire.

— Je n'ai rien fait pour mériter mon physique, et de toute façon la beauté est éphémère, débita-t-elle comme s'il s'agissait d'un texte appris par cœur. D'ailleurs, c'est à ma mère que je la dois, il paraît que nous nous ressemblons comme deux gouttes d'eau.

— Parlez-moi d'elle, dit-il avec douceur, tout en glissant sa main derrière la nuque de la jeune femme.

Il était si proche, sa paume était si tiède, si rassurante, qu'elle ne put résister à sa demande.

— On m'a dit que c'était la plus jolie fille de tout le Montana. Elle était enthousiaste et passionnée, et respirait la joie de vivre. Quand elle a rencontré mon père, elle n'avait que dix-sept ans...

La voix de Niki se fit hésitante, ses yeux s'embuèrent.

— Je sens qu'il s'agit d'une histoire triste, chuchota Clay en resserrant légèrement son étreinte autour du cou de la jeune femme.

Elle battit des cils, comme pour chasser des souvenirs, et poursuivit :

— Il en avait plus de quarante. Il l'a épousée et, quand il a appris quelques mois plus tard qu'elle était enceinte, il s'est enfui avant notre naissance.

— « Notre » ? répéta Clay, surpris.

— Mes sœurs et moi, nous sommes des triplées.

— Grands dieux...

— Comme vous dites ! Notre mère est morte quand nous avions cinq ans, et c'est notre grand-mère qui nous a élevées. Nous n'avons jamais revu notre père. C'est le notaire qui nous a appris sa mort quand il nous a prévenues qu'il nous laissait en héritage le ranch du Bar-K. C'est sans doute la seule chose qu'il a fait de bien dans sa vie, acheva-t-elle à mi-voix.

Elle déglutit avec peine avant d'ajouter :

— Comme vous le voyez, la beauté de ma mère ne lui a pas porté chance.

La main de Clay se mit à masser en douceur le cou de Niki.

— Voyons, Niki, vous avez hérité de la beauté de votre mère mais pas de son destin ! Vous menez une vie très différente, à ce que je vois, et à vingt-deux ou vingt-trois ans, vous devez...

— J'en ai vingt-sept, rectifia-t-elle. Et à cet âge-là, on ne participe plus aux concours de beauté.

Il la dévisagea avec étonnement.

— Vingt-sept ? Je ne l'aurais jamais cru !

— Eh bien, je vois avec soulagement que vous n'aimez que les très jeunes femmes, monsieur Russell. Cela me met hors jeu... Nous pouvons rentrer, maintenant ? Je vais vous montrer...

— Non, Niki. C'est moi qui vais vous montrer, chuchota-t-il en lui prenant le menton entre deux doigts.

Il se pencha et effleura les lèvres de la jeune femme des siennes.

Niki aurait voulu se raidir et le repousser. Mais, pour une raison qu'elle ne pouvait s'expliquer, elle se sentait incapable de faire le moindre mouvement. Pire : elle était en train de fondre sous la pression des lèvres souples, douces, charnues de Clay.

Depuis qu'elle l'avait rencontré elle n'avait pensé qu'à ce baiser. Le courant entre eux était si intense qu'elle savait, au plus profond d'elle-même, que tout contact entre eux était voué à l'explosion.

Les yeux clos, elle se laissa aller contre lui. S'il tentait d'approfondir ce baiser, elle ne pourrait lui résister. N'en avait-elle pas autant envie que lui? Elle allait entrouvrir les lèvres quand une voix, surgie de nulle part, l'interpella.

— Niki?

La jeune femme sursauta violemment, comme si on venait de la tirer d'un rêve, et repoussa Clay d'un geste sec. Puis elle s'avança sous la lumière du porche.

— Oui... Qu'y a-t-il, Dylan?

Elle ne reconnut pas sa voix. Jamais elle n'avait adopté un ton si rauque, si sensuel.

— Je voulais juste... Oh, tu es avec Clay! Excusez-moi, tous les deux... Je ne voulais pas vous déranger, bredouilla Dylan.

Niki entendit ses pas s'éloigner dans l'allée qui menait vers le dortoir des cow-boys. Elle se tourna vers Clay, l'air furieux.

— Voilà... Vous êtes content?

— De vous avoir embrassée? Bien sûr que oui! D'ailleurs, je suis prêt à recommencer...

— Non, pas question! Maintenant, Dylan va raconter ce qu'il a vu à tout le personnel du ranch!

— Et alors? De quoi avez-vous peur, Niki? De perdre votre réputation de déesse intouchable à cause d'un malheureux petit baiser?

— Ce n'était pas juste un baiser, et vous le savez aussi bien que moi, gronda-t-elle. C'était un prélude à... Tout autre chose.

— C'est bien possible, admit-il avec un sourire en coin.

La tête haute, les sourcils froncés, elle s'engouffra dans la maison. Il ramassa son sac à dos et la suivit.

Quelques instants plus tard, il montait l'escalier en silence derrière elle.

— Vous allez loger dans la chambre de Dani, déclarat-elle en s'arrêtant devant une porte, la première d'une longue série donnant sur le couloir. Et ici, c'est la salle de bains... Nous devrons la partager. S'il vous manque quelque chose, vous me le direz demain matin.

— D'accord. Mais avant de nous séparer, je voudrais vous poser une question.

— Je vous écoute.

— Que s'est-il passé, avec votre mère ? J'ai l'impression que, entre elle et vous, il n'y a pas qu'une question de ressemblance physique.

Elle tressaillit, se mordit la lèvre, hésita un moment.

— Je ne vous connais pas assez pour vous parler de mon enfance, dit-elle à mi-voix, pour ne pas risquer de réveiller sa grand-mère. Il y a des choses que je n'ai même pas dites à mes sœurs, voyez-vous. Aussi je vous prierai de vous montrer discret, et de ne pas évoquer le sujet de ma mère devant elles.

Il hocha la tête.

— Bonne nuit, Niki... J'ai passé une excellente soirée en votre compagnie. N'oubliez pas qu'à partir de demain je serai un simple ouvrier de plus dans votre ranch.

Sur ce, il se détourna et pénétra dans la chambre que Niki venait de lui attribuer. Pensive, elle se dirigea vers la sienne. A partir de demain, Clay ne serait pas un simple ouvrier de plus, mais un énorme, colossal et gigantesque problème, songea-t-elle.

En quelques heures, Clay était devenu la coqueluche du ranch. Non seulement il plaisait à tout le monde, grands et petits, hommes et femmes, mais il savait tout faire. Il travaillait sans relâche, avec concentration et habileté, et s'acquittait avec enthousiasme des tâches qu'on lui confiait.

Niki le regarda montrer, avec une patience d'ange, comment manier un lasso à un gamin de douze ans arrivé tout droit de New York. Voilà une histoire qui allait faire le tour de son école, lorsqu'il rentrerait en ville, se dit Niki, attendrie. Les yeux de ses camarades de classe allaient s'écarquiller quand il leur raconterait que le célèbre Clay Russell en personne lui avait donné une leçon particulière !

Légèrement agacée par la popularité de Clay dans son propre ranch, elle se détourna en grinçant des dents. Elle n'avait pas fait trois pas qu'une voix lui murmura à l'oreille :

— Une promenade à cheval, ça vous dit ?

L'invitation, susurrée à son oreille, la fit sursauter. Ce que c'était agaçant, cette façon qu'il avait de se faufiler sans bruit derrière elle !

— Non, répliqua-t-elle fermement. Merci, mais c'est non.

Il fronça les sourcils. Sous le chapeau à large bord qu'il avait repoussé en arrière, ses mèches brunes retombaient en désordre sur son front.

— Allons, Niki... On y va à plusieurs, alors vous n'aurez pas à vous méfier de moi, dit-il avec un clin d'œil entendu.

Elle rougit légèrement, mais continua à secouer la tête avec obstination.

— Ce qui s'est produit hier soir ne recommencera pas, grommela-t-elle.

— Alors, venez avec nous !

— Je vous ai déjà dit non.

— Mais pourquoi ?

— Oh, c'est tout simple... Je ne monte pas à cheval.

Il demeura bouche bée pendant quelques secondes.

— Vous ne montez pas à cheval, répéta-t-il, comme pour se convaincre qu'il avait bien entendu. C'est... C'est impossible !

— Pas du tout. Je n'aime pas les chevaux, voilà tout.

— Mais enfin, Niki... Tout le monde aime les chevaux !

— Pas moi. Vous comprenez pourquoi je ne peux pas être élue reine des cow-boys ?

Elle pivota sur ses talons et se dirigea vers la maison, le laissant là, l'œil fixe, interloqué. Cette fois, elle avait marqué un point, se dit-elle avec satisfaction.

La cuisine était déserte, ou presque. Seule Tilly, un tablier noué autour de la taille, s'y affairait en chantonnant.

Clay emplit un verre d'eau fraîche et le but avec avidité. La vieille dame lui sourit.

— Comment s'est passée la randonnée ?

— Très bien. Dommage que Niki ait refusé de nous rejoindre... Pourquoi n'aime-t-elle pas les chevaux, madame Collins ?

Le sourire de Tilly s'effaça aussitôt. Son regard bleu fané se fit perçant, comme si elle s'efforçait de jauger le jeune homme.

— A cinq ans, elle s'est fait piétiner par un étalon. Elle a failli mourir. Des années plus tard, ses sœurs ont réussi à la persuader de se remettre à cheval. Elles lui ont fait monter une vieille jument réputée pour sa douceur. Personne n'a compris ce qui s'est passé, mais la jument a débarqué Niki dans un fossé, et elle a failli se briser le cou dans sa chute.

— La pauvre, murmura-t-il.

Il hocha la tête, pensif.

— Elle m'a dit qu'elle ressemblait beaucoup à sa mère, dit-il soudain, en changeant de sujet.

Le regard de Tilly se voila.

— C'est vrai, marmonna-t-elle.

— J'ai eu l'impression qu'elle me cachait quelque chose, ajouta-t-il en soutenant le regard de Tilly.

— Ce n'est pas à moi de vous le dire, Clay. D'ailleurs, dans quel but me posez-vous toutes ces questions ?

Il haussa les épaules en affectant un air nonchalant. Il ne pouvait chasser de son esprit la vision d'une toute petite fille terrifiée, qu'un énorme étalon s'apprêtait à piétiner...

— J'ai toujours l'espoir qu'elle acceptera de participer au concours, madame Collins.

— Vous feriez mieux de ne plus y penser. Je la connais depuis sa naissance. Elle a horreur de faire étalage de sa beauté. Et elle déteste les chevaux. Comment voulez-vous qu'elle incarne l'image du Grand Ouest ?

— Oui, mais...

— Clay, je comprends votre déception, affirma Tilly en souriant de nouveau. Niki est vraiment très jolie et elle gagnerait ce concours haut la main, j'en suis persuadée. Mais à mon avis, elle n'ira pas à Dallas pour la finale. Alors, si c'est la seule raison pour laquelle vous avez décidé de rester au ranch, vous risquez de repartir bredouille.

Clay avala d'un trait l'eau qui restait dans son verre.

— Vous avez sans doute raison, madame Collins. Mais je suis têtu.

— Faites comme vous voulez, Clay. Mais si vous perdez votre pari, ne vous en prenez qu'à vous-même.

— Promis, dit-il avant de s'éclipser.

Les reproches, il n'aurait pas besoin de s'en faire, se dit-il, en se dirigeant vers le corral. Eve Hubbard s'en chargerait. Abondamment.

5.

Rien ne semblait rebuter Clay. Il sifflotait tout en retirant le fumier des écuries, chantonnait pendant la corvée d'épluchure des pommes de terre, esquissait quelques pas de danse en entassant les paniers de linge sale dans la camionnette qui allait les transporter vers la blanchisserie... Bref, au bout d'une petite semaine, il se comportait comme s'il était né au ranch.

Avec un soupir, Niki se détourna de la fenêtre de la cuisine, son poste d'observation préféré. Quel dommage qu'elle n'ait pas rencontré Clay en d'autres circonstances ! Chaque fois qu'elle le voyait, elle ne pouvait s'empêcher de penser que, s'il l'avait suivie jusque-là, c'était uniquement pour la harceler jusqu'à ce qu'elle accepte de participer à son satané concours. Il avait aussi quelque chose d'autre en tête... S'il avait la ferme intention de l'emmener jusqu'à Dallas, il avait également envie de l'entraîner vers son lit. Et il était le genre d'homme qui ne renonçait pas facilement à ses projets.

Elle réprima un nouveau soupir et se tourna vers sa grand-mère, qui semblait plongée dans un livre de recettes.

— Je dois aller travailler chez les Mitchell, annonça-t-elle. Ne m'attends pas ce soir, je risque de rentrer tard.

— D'accord, chérie. Alors, à demain !

Niki posa son tablier sur l'une des chaises de bois rangées devant la longue table en pin massif et fila dans l'entrée, où elle récupéra son sac avant de dévaler les marches du perron. Elle détestait être en retard.

Une fois derrière le volant du vieux cabriolet qu'elle avait gagné avec l'argent de son premier concours de beauté et dont elle refusait de se séparer, elle inséra la clé dans le démarreur et la tourna.

En vain. Elle eut beau recommencer la manœuvre et appuyer sur la pédale de l'accélérateur, elle n'obtint aucun effet. Pas le moindre petit bruit de moteur.

— A mon avis, c'est la batterie.

Elle fit un bond de carpe sur la banquette de cuir usagé en entendant cette voix, si près de son oreille. S'il continuait à la surprendre ainsi, elle finirait par avoir un infarctus, se dit-elle, les deux mains agrippées au volant.

— C'est impossible. Je l'ai changée il y a trois mois, rétorqua-t-elle d'une voix faible. Evidemment, j'ai pris une batterie d'occasion...

— Je vais vous conduire en ville, si on vous attend là-bas. Vous pouvez compter sur moi pour m'occuper de votre problème.

Il eut un sourire entendu avant d'ajouter :

— Je veux dire, du problème de votre voiture.

Elle n'hésita qu'une fraction de seconde. Elle n'avait pas le choix.

— Merci... Mais vous êtes sûr de savoir réparer une voiture ? demanda-t-elle, perplexe. En général, c'est Jack, mon beau-frère, qui s'en charge. Malheureusement, il a beaucoup de travail en ce moment.

— Il est inutile de le déranger, trancha Clay. J'ai grandi dans un ranch... C'est un endroit où l'on apprend à se débrouiller pour réparer les animaux aussi bien que les moteurs !

Si Clay pensait qu'il pouvait manipuler les gens en général — et elle en particulier — aussi facilement que les chevaux, il se trompait lourdement, songea Niki en montant dans la jeep et en se glissant sur le siège du passager.

— Ecoute, Eve... Je sais que je suis là depuis une semaine ! Tu crois que je ne l'ai pas remarqué ?

Prudent, Clay écarta légèrement le combiné de son oreille pour entendre la réponse d'Eve Hubbard. Cette dernière frisait l'hystérie. Pour elle, les gens étaient des pions qu'elle déplaçait à sa guise sur son échiquier personnel. Personne ne devait lui résister.

— Non, je ne peux pas la brusquer, protesta-t-il, après qu'il l'eut entendue. Sinon, je risque de ne rien obtenir du tout. Mais elle ne t'a pas écrit pour te dire qu'elle se retirait du concours, n'est-ce pas ? Alors, tu vois bien que je progresse !

Tout en écoutant la réponse d'Eve, Clay se laissa distraire par le mouvement d'une silhouette. Du hall d'entrée où il se trouvait, il pouvait apercevoir la piscine, et le barbecue que Niki était en train d'allumer avec l'aide de deux de ses hôtes. Sa silhouette parfaite se détachait avec netteté sur l'horizon que le soleil couchant mettait en flammes.

Il avait adoré la surprise teintée d'admiration qu'il avait décelée dans ses superbes prunelles saphir, lorsqu'il lui avait montré l'acide qui rongeait la batterie. Mais ce qu'il avait encore plus apprécié, c'était de la conduire et de la rechercher chez les Mitchell. Ces quelques kilomètres, parcourus en tête à tête dans l'intimité de la jeep...

— Tu m'écoutes, Clay ?

La voix aiguë lui déchira les tympans.

— Oui, bien sûr que je t'écoute, affirma-t-il. Je ne vois pas comment je pourrais faire autrement, à moins d'être sourd ! Voyons, que disais-tu, déjà ?

L'un des hôtes s'était assis sur un banc de bois, près du barbecue, et avait tiré un harmonica de sa poche. Il se mit à en jouer tout en regardant Niki souffler sur les braises.

— Je disais que, si tu ne parviens pas à la persuader, je vais le faire moi-même ! Je te préviens, Clay... Un de ces jours, tu risques de me voir débarquer dans ton fameux ranch !

La menace était sérieuse, se dit Clay. Eve ne parlait jamais à la légère. Si elle venait ici, elle risquait de compromettre sa relation déjà fragile avec la ravissante Niki.

— Cela ne servirait à rien, Eve. Je sais que tu as des millions de choses à faire, tu ne voudrais pas perdre ton temps au fin fond du Texas, dit-il très vite.

Il savait pertinemment que le point faible d'Eve était son agenda surchargé.

— Je te promets de te tenir au courant de la situation dans ses moindres détails, ajouta-t-il d'une voix adoucie.

— Je t'ai confié une mission, et tu as intérêt à l'accomplir, Clay. Ne reviens pas les mains vides !

Eve raccrocha sans même une formule de politesse. Avec un haussement d'épaules, Clay remit le combiné en place. Eve était une citadine-née. Elle aimait le bitume, les gratte-ciel et les embouteillages, le bruit et la fureur des grandes villes. La propriété qu'elle possédait dans la banlieue de Dallas, et dans laquelle elle ne mettait les pieds que rarement, était un simulacre de ranch. Clay était convaincu qu'elle était allergique aux grands espaces naturels. La seule vue d'un brin d'herbe risquait de la faire éternuer, et la proximité d'un bœuf ou d'un cheval lui donnerait de l'eczéma. Elle n'était pas près de faire une apparition à Hard Knox.

Les mains dans les poches, il descendit les marches du perron et s'avança vers le petit groupe rassemblé autour du barbecue.

Niki lui lança un regard méfiant et s'assit sur un banc où il ne restait plus qu'une place. Un peu dépité, Clay jeta un coup d'œil autour de lui. Une femme d'âge mûr, native de Tulsa, bien en chair et le sourire convivial, lui fit signe.

— Venez près de moi, champion !

Il prit place à son côté, sur un tronc d'arbre aux aspérités gommées par tous ceux qui s'y étaient assis avant lui. L'homme à l'harmonica se mit à jouer une vieille ballade de pionniers, aux accents mélancoliques. A la fin du morceau, Niki donna le signal des applaudissements.

— Merci, monsieur Hammer ! C'était superbe. Y a-t-il quelqu'un d'autre qui ait envie de jouer ou de chanter ? Nous disposons d'une guitare...

Les hôtes se regardèrent. Comme personne ne se déclarait, Clay leva la main jusqu'à son oreille avec une modestie qui confinait à la timidité, ce qui fit rire sa voisine.

— Notre champion national a des talents cachés ! s'exclama-t-elle. Voyons, Clay... Dites-nous ce que vous savez faire.

Il se mit debout.

— Je sais jouer de la guitare, annonça-t-il. Et pousser la chansonnette.

— Formidable ! affirma la dame de Tulsa.

Les applaudissements crépitèrent. Seule, Niki s'abstint. Elle fixait Clay en fronçant légèrement les sourcils, comme si elle attendait d'avoir la preuve de ce qu'il avançait avant de l'applaudir.

Calmement, Clay s'assit sur un tabouret près du feu destiné au barbecue, et prit la guitare qu'on lui tendait. Il en effleura les cordes, en tira quelques accords, puis se mit à chanter tout en s'accompagnant.

Il s'agissait d'un chant populaire, inventé par les cowboys pour agrémenter leurs soirées après une dure journée de labeur. Les doigts de Clay allaient et venaient avec agilité sur les cordes, sa voix mélodieuse charmait son auditoire. Il fut agréablement surpris en entendant les hôtes reprendre le refrain avec lui. Mais ce qui l'étonna le plus, ce fut l'expression de Niki. Il ne l'avait encore jamais vue avec sur son merveilleux visage ce mélange d'approbation, de chaleur, d'attendrissement... Pour ne pas le voir s'effacer, il entonna aussitôt une seconde chanson, qui fut encore plus applaudie que la précédente.

— Une autre ! Une autre ! réclama son auditoire, sous le charme de sa voix grave et de ses doigts habiles.

— D'accord.

Clay était trop enthousiaste pour se faire prier. De plus, il voulait voir fleurir le sourire qui s'étirait sur les lèvres de Niki le plus longtemps possible.

La chanson qu'il entonna alors n'avait rien à voir avec les autres. C'était une chanson d'amour, presque une complainte, exprimant avec des mots simples et tendres des sentiments aussi vieux que le monde. Il la chanta en s'adressant à Niki, qui le fixait avec une certaine émotion dans le regard. Quand les dernières notes résonnèrent dans le silence, la nuit était tombée. La voisine de Clay poussa un long soupir, la main sur le cœur.

— Grands dieux, murmura-t-elle. Il faudrait avoir une pierre à la place du cœur pour ne pas avoir les larmes aux yeux !

Un tonnerre d'applaudissements salua la prestation de Clay. Ce dernier, après avoir rendu la guitare à son propriétaire, proposa à son auditoire affamé de faire griller les viandes et les saucisses.

Niki lança un coup d'œil à l'homme qui la suivait vers la cuisine en portant des piles d'assiettes sales.

— Vous jouez très bien de la guitare, dit-elle d'un ton poli, qui dissimulait l'étonnement et l'émotion qu'elle avait ressentis en l'écoutant.

— Et je chante comment ?

— Très bien aussi. J'avoue que vous m'avez étonnée.

— Pourquoi ?

— Je ne vous voyais pas comme cela. Un cavalier-mécanicien-musicien, ça fait beaucoup de talents pour un seul homme ! s'exclama-t-elle.

— J'en ai d'autres, croyez-moi, murmura-t-il, en la fixant d'un œil brillant.

Il déposa les assiettes sur la table, prit le plateau plein de verres sales des mains de Niki et le posa à côté.

— J'ai une faveur à vous demander, Niki.

Son air sérieux fit craindre le pire à la jeune femme.

— Qu'est-ce que c'est ? demanda-t-elle avec appréhension.

— Venez faire une promenade à cheval avec moi.

Le regard de Niki se fit incrédule.

— Jamais de la vie ! s'écria-t-elle, avant de lui tourner le dos pour aller rejoindre les autres.

— Non... Attendez, dit Clay en lui prenant le bras.

Elle lui fit face, les joues roses de colère.

— J'ai peur des chevaux, Clay. Mettez-vous ça dans le crâne, une fois pour toutes !

— D'accord, vous avez eu des expériences malheureuses... Mais vous devriez...

— Vous ignorez tout de moi, ou presque. Alors, si vous voulez vous entendre avec moi, ne jugez pas de ce que je dois faire ou non, compris ?

— Ne vous énervez pas, Niki. Et sachez que je ne veux pas simplement m'entendre avec vous. Je voudrais davantage, acheva-t-il à mi-voix en se rapprochant de la jeune femme. Un baiser, par exemple. Pour commencer.

— Non. En fait, ce que vous voulez, c'est me faire changer d'avis à propos du concours. Vous perdez votre temps, Clay.

Il leva la main, lui frôla l'épaule, le bras, lui prit doucement le poignet.

— Je ne crois pas.

Elle se dégagea et haussa les épaules.

— Après tout, c'est vous que cela regarde.

— Niki ? Tu es là ? J'allais fermer les lumières du rez-de-chaussée, annonça Tilly depuis la pièce voisine.

— Va te coucher et ne t'inquiète pas, j'éteindrai les lumières, Granny ! répondit Niki en élevant la voix pour se faire entendre.

Les pas de la vieille dame résonnèrent sur les dalles de l'entrée, puis firent grincer le bois du vieil escalier avant de s'arrêter.

— Bonne nuit, ma chérie, dit Tilly de sa voix mélodieuse.

Elle fit une brève pause avant d'ajouter :

— Bonne nuit, Clay !

Le jeune homme rit doucement.

— Bonne nuit, madame Collins. Faites de beaux rêves.

Les deux jeunes gens se regardèrent quelques instants en silence. Ce fut Clay qui reprit la discussion :

— Si vous acceptez de venir faire une balade à cheval avec moi, je vous promets qu'il ne vous arrivera rien, Niki. Je prendrai toutes les précautions nécessaires, et je peux vous garantir que...

— Vous ne pouvez rien me garantir du tout ! protesta

Niki avec véhémence. Les chevaux sont des animaux stupides, toujours prêts à vous marcher sur le pied ou à vous jouer un mauvais tour !

— Mais...

— Je vous ai dit « non » une bonne fois pour toutes, Clay.

Il hocha la tête mais ne se tint pas pour battu. Malheureusement pour lui, ce qui se passa le lendemain ne fit que renforcer la décision de Niki.

Bessie était la jument la plus gentille, la plus calme du monde. Née et élevée au ranch, elle avait à son actif des milliers d'heures de travail, et à seize ans passés, elle pouvait se vanter d'avoir aidé d'innombrables jeunes cavaliers à se mettre en selle.

Voilà pourquoi les bouches s'arrondirent et les regards se firent incrédules quand Clay, champion national de rodéo, exécuta un superbe vol plané depuis le dos de Bessie jusqu'au sable de la carrière dans laquelle il faisait une démonstration de dressage. La jument s'était cabrée d'un coup, puis était partie au triple galop en faisant des coups de cul, comme si un frelon ou une autre bestiole venimeuse venait de la piquer. Clay, qui ne s'attendait absolument pas à ce genre de réaction de la part de la jument, avait été éjecté proprement. La chute fut brutale. Mais ce qui l'affecta le plus, ce fut le regard horrifié de Niki qu'il avait justement invitée à venir assister à sa démonstration.

Après avoir débarqué son cavalier, la jument s'était arrêtée au fond de la carrière et s'était mise à trembler de tous ses membres. Quant à Clay, étalé sur le sable, il tentait vainement de reprendre son souffle. La chute l'avait étourdi et, de plus, il avait la nette impression que son atterrissage forcé ne le laissait pas indemne.

Avant qu'il ait pu se relever, Niki avait sauté par-dessus la barrière pour se précipiter vers lui, affolée.

— Clay ! Oh, Clay, comment vous sentez-vous ?

Il ouvrit les yeux et vit le merveilleux visage de la jeune

femme. Ses longues boucles blondes lui caressaient les joues, ses prunelles, d'un bleu assombri par l'inquiétude, le scrutaient. D'un coup, il se sentit beaucoup mieux.

— Ça va aller. Il faut juste que j'arrive à respirer...

Elle s'agenouilla et, avec douceur, elle lui cala la tête sur ses genoux.

— Vous auriez pu vous tuer, dit-elle d'une voix émue.

— Il n'existe pas de cheval qui ne puisse être monté, et pas de cavalier qui ne puisse être éjecté, dit Clay d'un ton docte, en citant l'une des phrases favorites de son oncle. C'était un accident, Niki. Cette pauvre Bessie s'est fait une frayeur, voilà tout.

Il lança un coup d'œil à la jument qui attendait, tête basse, et toute tremblante.

— Elle se sent aussi mal que moi, dit-il.

— Si vous vous sentez mal, je vais appeler une ambulance ! s'exclama Niki.

— Non, surtout pas. Regardez, je peux m'asseoir...

Il voulut joindre le geste à la parole, mais dut s'y reprendre à deux fois. Une douleur aiguë lui vrillait les côtes.

— Je vous emmène chez le médecin, déclara Niki en le voyant aussi faible.

Le ton de la jeune femme était sans appel. Clay n'eut pas le courage de protester.

— D'accord.

Il ne tenta même pas de la convaincre qu'il pouvait conduire. Non seulement il s'en sentait incapable, mais il ne voyait pas pourquoi il se priverait du plaisir de profiter de la compagnie de Niki. Une fois debout, il se rendit compte que ce n'était pas seulement sa compagnie qu'il lui fallait, mais aussi son soutien. Il dut s'appuyer sur elle pour marcher jusqu'à la voiture de la jeune femme.

— Ce n'est pas la première fois que je tombe de cheval, dit-il d'un ton léger, pour la rassurer. Tous les cavaliers font une chute de temps à autre... Ce n'est pas ça qui les empêche de monter !

— Ce n'est pas ça qui va m'y inciter, en tout cas, grommela Niki.

Pour l'aider à marcher, elle avait passé son épaule sous le bras de Clay et lui avait enlacé la taille.

— Je vous fais mal ? demanda-t-elle, inquiète, tandis qu'ils s'approchaient à petits pas du véhicule.

Elle aurait pu le tuer sur place et le découper en petits morceaux sans qu'il émette la moindre protestation, songea-t-il, trop heureux de la tenir ainsi contre lui.

— Absolument pas, affirma-t-il. Au contraire...

Niki leva les yeux au ciel avant d'ouvrir la portière du passager. Clay tenterait de la séduire jusque dans la tombe ! Ce devait être dans ses gènes... A moins que ses multiples chutes ne lui aient explosé quelques neurones stratégiques dans le cerveau.

— Allez-y, docteur. Vous pouvez me parler franchement. J'ai besoin de savoir la vérité.

Nu jusqu'à la ceinture, Clay faisait face au médecin qui venait de l'examiner.

Ce dernier fronça les sourcils, l'air grave.

— Eh bien, mon diagnostic est simple. Si vous revenez au rodéo, vous finirez dans un fauteuil roulant. A vous de choisir.

Il avait demandé la vérité, il lui fallait l'encaisser, se dit Clay en grinçant des dents.

— Tout ça pour une petite chute de rien du tout ? protesta-t-il tout de même.

Le médecin soutint son regard sans broncher.

— Vous avez eu de la chance, cette fois. Une côte fêlée, rien de cassé. Mais les séquelles que vous ont laissé vos chutes précédentes sont telles qu'il suffirait de pas grand-chose pour vous envoyer à l'hôpital pendant des mois.

Voilà une chanson dont il commençait à connaître le refrain, pensa Clay, agacé.

Ce n'était pas le premier avertissement que lui donnait un membre éminent du corps médical.

— Soyez gentil, faites-moi mon pansement et n'en parlons plus, marmonna-t-il.

Le médecin hocha la tête et ouvrit le tiroir d'un meuble laqué blanc pour en extirper une large bande et du sparadrap.

— Je ne suis pas un cavalier très expérimenté, mais je sais que le plus doux des chevaux peut vous envoyer à terre parce qu'il a eu peur de son ombre, ou qu'il a été surpris par le mouvement d'une branche... Mais si vous persistez à monter des étalons cinglés ou des taureaux furieux, il est évident que vous mordrez la poussière plutôt deux fois qu'une... Alors, un bon conseil, champion : changez de carrière. Le plus vite sera le mieux, si vous voulez vivre encore longtemps et en marchant sur vos deux jambes.

Le pansement terminé, il tendit la main à Clay.

— Désolé pour mon petit sermon, mais je m'en serais voulu de ne pas vous le faire, dit-il en souriant.

Clay lui serra la main, mais son sourire était loin d'être joyeux.

— Alors ? Quel est le diagnostic ? demanda Niki avec anxiété, en se levant d'un bond de la chaise qu'elle occupait dans la salle d'attente.

Clay émit un petit rire.

— Il pense que je suis cinglé et qu'il ferait mieux d'examiner ma tête, plutôt que mon dos.

— C'est un excellent médecin, dans ce cas, rétorquat-elle en souriant pour la première fois depuis des heures.

Il ignora le commentaire et lui coula un regard en biais.

— Vous voulez bien m'aider à retourner à la voiture ?

— Je vois que vous marchez très bien tout seul.

— Mais vous m'avez soutenu, quand nous sommes arrivés, protesta-t-il.

— Parce que je vous croyais gravement blessé.

Clay poussa un soupir.

— Vous êtes le genre de femme qui n'aime que les hommes en état de faiblesse, dit-il d'un ton lugubre.

— Pas du tout. Je suis le genre de femme qui n'aime que les hommes intelligents. Ceux qui tiennent certains animaux trop grands et trop stupides à distance, comme les chevaux par exemple.

Clay se mit à rire.

— Quand je vous écoute, Niki, j'ai l'impression d'entendre un disque rayé! Venez plutôt m'offrir votre bras. Peu importe que j'en aie besoin ou non... Cela me fait plaisir de toute façon.

Le moyen de résister à son sourire à la fois ingénu et malicieux? Il n'y en avait pas. Sous le charme, Niki s'avança pour lui offrir son appui, comme il le lui avait demandé. Après tout, sentir son bras sous le sien, cela lui faisait tout autant plaisir qu'à lui.

Ils allaient s'engouffrer dans la voiture de Niki quand celle-ci aperçut une silhouette familière, celle d'un homme qui traversait le parking d'un pas pressé. C'était son beau-frère, le mari de Dani.

— Eh, Jack!

Le jeune homme s'approcha d'eux au petit trot.

— Salut, Niki... Ça va?

— Très bien, affirma Niki, au grand soulagement de Clay qui n'avait aucune envie de raconter son accident.

— Dani m'a demandé de chercher un remède pour les gencives d'Elsie. Elle a des dents qui poussent, et elle n'arrête pas de hurler. C'est à devenir fou.

Il lança un coup d'œil à Clay et sourit.

— Alors, champion, comment vous sentez-vous au ranch?

— Pas mal du tout. La nourriture est excellente et la compagnie fort agréable.

Jack hocha la tête d'un air entendu.

— Je suppose que vous avez vu votre photo dans le journal?

— Quelle photo? demanda Niki, stupéfaite.

Le sourire de Jack s'accentua.

— Celle dont la légende indique que tu ferais une merveilleuse reine des cow-boys. D'ailleurs, le roi a l'air ravi.

— Le roi? répéta Niki, de plus en plus ahurie. Je ne comprends pas un mot de ce que tu racontes!

— Tu trouveras toutes les explications dans le journal du matin. Et maintenant, je dois vous laisser, tous les deux... Dani va m'écorcher vif si je ne lui rapporte pas au plus vite un remède pour Elsie.

Dès que Jack se fut éloigné, Niki se tourna vers Clay, l'œil étincelant sous ses sourcils froncés.

— Vous avez compris ce qu'il a dit ?

— Je ne connais pas grand-chose aux problèmes de dents des bambins, répondit Clay avec nonchalance.

— Clay, je ne parle pas d'Elsie, mais d'une photo dans le journal !

Il haussa les épaules.

— Je suppose qu'il s'agit des photos qu'on a prises de nous, chez les Mitchell. Elles étaient destinées à être publiées, non ?

— Et la légende, Clay ? La légende à propos de la reine des cow-boys ? Celle-là, je parie que c'est vous qui l'avez soufflée au journaliste !

— Et alors ? Selon notre accord, il n'y a que vous, Eve et moi-même qui savons que vous ne participerez pas. Les autres, y compris les journalistes, croient dur comme fer que vous irez à la finale.

Niki se mordilla la lèvre inférieure tout en réfléchissant.

— Vous avez sans doute raison, murmura-t-elle. Mais je veux voir cette fameuse photo et lire l'article qui l'accompagne. Si cela ne vous ennuie pas, je vais m'arrêter en route pour acheter le journal.

— Faites comme vous voulez. Après tout, c'est vous qui conduisez.

Niki se glissa derrière le volant, perplexe. L'air résigné de Clay ne lui disait rien de bon.

— Oh, non !

Les yeux de Niki s'écarquillèrent en apercevant la photo qui s'étalait sur la première page du journal. Comment avait-on pu lui faire ça ? C'était une horreur !

Ou un vrai bonheur, du point de vue du photographe et du lecteur. En effet, le couple qui apparaissait en première page arborait un air radieux et un sourire éblouissant. L'intimité, la complicité qui se dégageait des deux jeunes gens — en l'occurrence, Niki et Clay — était saisissante. Quant à la légende figurant sous la photo, elle indiquait implicitement que Niki était la future Miss Hubbard Grand Ouest, reine des cow-boys.

Après avoir lancé un coup d'œil au journal par-dessus l'épaule de Niki, Clay poussa un grognement de satisfaction.

— Super, murmura-t-il.

— Comment ça, « super » ? J'ai l'impression d'être un mensonge vivant ! Je ne serai jamais Miss Hubbard Grand Ouest, pour la bonne raison que je ne participerai pas au concours, et nous le savons tous les deux !

— C'est vrai... Et c'est bien dommage, murmura Clay.

— C'est la réalité pure et simple.

— Qui veut la réalité dans ce genre de situation, Niki ? Les gens veulent du rêve, de l'imaginaire... Ils veulent croire à l'histoire de Cendrillon qui se transforme en princesse, à la jolie fille qui devient reine de beauté et rencontre son prince charmant. Moi, de préférence...

Niki eut un sourire ironique.

— Je suppose que votre physique est un atout majeur, dans votre métier. Eve Hubbard ne vous aurait sûrement pas engagé si vous faisiez peur aux enfants dans la rue !

— Merci du compliment.

Il lui lança un regard en coin.

— Avouez que nous formons un joli couple, tous les deux.

— Vous êtes libre de penser ce que vous voulez, dit-elle sèchement. Moi, je n'y vois que du mensonge.

— Tout cela parce que vous n'aimez pas les chevaux ?

— Je les déteste, je les hais, je les méprise !

— Mon chou, je sais que vous avez eu un ou deux petits accidents... Mais si vous m'y autorisez, je me fais fort de vous les faire oublier.

— Et si je n'avais pas envie de les oublier, Clay ? Je suis contente comme je suis, et cela ne vous est jamais venu à l'esprit, n'est-ce pas ?

— Vous ne parlez pas sérieusement, Niki... Ecoutez, je

peux vous aider à vous réconcilier avec les chevaux, et même à en monter un. Cela me semble indispensable si...

— Je vous interdis de continuer ! s'exclama-t-elle, l'œil étincelant de colère.

— Vous ignorez ce que j'allais dire, rétorqua-t-il, impassible.

— Bien sûr que si ! Vous alliez me dire que monter à cheval m'est indispensable si je veux incarner le Grand Ouest et je ne le veux pas ! Combien de fois encore devrai-je vous le répéter ?

— Ne vous énervez pas, protesta-t-il. J'allais simplement vous dire que cela vous serait indispensable si vous voulez continuer à vivre dans un ranch.

Il la dévisagea, un sourire satisfait aux lèvres, ravi de son effet de surprise.

Un effet qui ne dura que quelques secondes, car Niki se ressaisit rapidement.

— Je ne crois pas un mot de ce que vous racontez, mais peu importe... Je ne m'approcherai plus jamais d'un cheval, et cela, aussi longtemps que je vivrai. J'espère que vous avez compris, cette fois ?

Sans attendre la réponse de Clay, elle gara la voiture à quelques mètres du ranch, s'en extirpa et s'en éloigna en claquant la portière derrière elle.

Tout ce qu'il avait compris, pensa Clay en se dirigeant à son tour vers le ranch, c'est que Niki réagissait vis-à-vis des chevaux avec trop de véhémence... Il était convaincu qu'avec du temps, de la patience, il pourrait tenter de l'amadouer et...

La porte du ranch s'ouvrit brusquement et la silhouette petite, ronde et joviale de Tilly Collins apparut sur le porche.

— Clay ! On vous demande au téléphone !

C'est Eve, se dit-il, le cœur soudain serré, en pressant le pas. Vraiment, ce n'était pas son jour.

Il avait deviné juste. La voix de son employeur lui frappa les tympans comme l'aurait fait un marteau-piqueur.

— Je veux un rapport, Clay ! A-t-elle accepté, oui ou non ?

— Pas encore, dit-il à mi-voix.

Il lança un regard inquiet autour de lui. Le téléphone se trouvait dans le hall d'entrée, qui semblait servir de gare de triage au reste du ranch. Les employés, les touristes et les membres de la famille, y compris Niki, y circulaient sans discontinuer.

— As-tu vu la photo?

— Celle du journal local? Oui, bien sûr, murmura Clay, une main devant la bouche pour couvrir sa voix. Et alors?

— Et alors? répéta Eve, d'une voix suraiguë. Mais c'est extraordinaire! Incroyable! Ahurissant! Vous êtes le couple le plus explosif du millénaire! Vos regards, vos sourires, vont faire vendre plus de jeans, de robes et de blousons que je n'en ai comptés dans mes rêves les plus fous! Vous formez un couple magique, tous les deux... Magique, j'ai dit!

Le ton dithyrambique de son employeur, l'avalanche de compliments, mirent Clay franchement mal à l'aise.

— Eh bien... C'est vrai, la photo n'est pas mal, chuchota-t-il.

— C'est bien la première fois que tu te montres aussi discret, Clay. Mais dis-moi... tu as fait des progrès?

— Dans quel domaine?

Il se mordit la lèvre et écarta légèrement le combiné de son oreille.

— Ha, ha, ha...

Eve émit un petit rire discordant.

— D'après ce que je comprends, la belle Niki ne présente pas qu'un intérêt professionnel, pour toi! Fais bien attention, Clay. Je ne veux pas que ta vie privée interfère avec mes investissements, compris?

— J'ai parfaitement compris, Eve. Mais je m'en fiche éperdument. Tu me paies pour assurer la promotion des vêtements Hubbard Grand Ouest, point final. Ma vie privée, et ce que je fais de mon temps libre, c'est mon affaire.

— Sauf quand cela gêne MES affaires, protesta Eve. Tu ne vas pas abandonner, j'espère?

— Non. Mais je ne suis pas sûr de réussir.

— Voyons, Clay. La persévérance, ça finit toujours par

payer. Et en parlant de payer... Si tu accomplis ta mission, tu vas gagner beaucoup, beaucoup d'argent, roucoula Eve avant de raccrocher.

Clay demeura immobile, le téléphone à la main, le regard fixe... Jusqu'à présent, il avait toujours pensé que l'argent était un bien indispensable, et que plus on en avait, plus on était heureux. Or, depuis quelques secondes, il se demandait si c'était vraiment la chose la plus importante sur terre. Il envisageait même d'en perdre, beaucoup, beaucoup...

L'idée était si nouvelle pour lui qu'il en oublia de raccrocher le téléphone.

6.

Clay ne ferma pas l'œil de la nuit. Sa côte fêlée le faisait souffrir, mais la douleur n'était pas la cause de son insomnie. Le motif réel de sa nuit blanche, c'était l'appel d'Eve. Il ne supportait pas qu'on le surveille. Surtout quand il s'agissait de Niki.

Avec elle, il voulait avoir carte blanche et les mains libres.

S'il souhaitait qu'elle soit élue Miss Hubbard Grand Ouest, c'était pour passer l'année avec elle — officiellement et officieusement. Il se fichait de savoir si elle allait faire vendre des tonnes de vêtements dessinés par Eve. Ce qui l'intéressait, c'était d'apprendre à la connaître. De savoir par cœur ses défauts et ses qualités. Ses défauts surtout, car pour l'instant il ne lui en voyait aucun. A l'exception de son attitude absurde vis-à-vis des chevaux, qu'il devait absolument l'aider à changer. Mais comment? Il n'en avait pas la moindre idée.

Debout devant la fenêtre, il écarta les rideaux en dentelle qui lui rappelaient qu'il se trouvait dans l'ancienne chambre de Dani. Sous la clarté laiteuse de la lune, le paysage semblait s'étendre à l'infini, prairie après prairie. Un paysage auquel Niki semblait appartenir. Pourtant, c'était une illusion.

Quand on vivait dans un ranch, quand on voulait en faire partie, on ne pouvait ignorer les chevaux. Encore moins en avoir peur. Et s'il envisageait de vivre avec elle...

82

Les cheveux se dressèrent sur la nuque de Clay. Qu'est-ce que c'était que cette histoire ? Il n'avait aucune intention de vivre avec Niki Keene ! Il n'était pas prêt à vivre avec une femme. Cela ne lui arriverait pas avant des années et des années. Il voulait juste un peu de compagnie féminine...

Son dialogue avec lui-même frisait le ridicule. C'était cette satanée pleine lune qui devait le travailler... Agacé par les pensées stupides qui tourbillonnaient dans sa tête, Clay se remit au lit. En fait, songea-t-il en fermant les yeux, Eve et lui visaient le même objectif. Ils voulaient tous les deux Niki, même si leurs raisons étaient totalement différentes. Il devait donc concentrer toute son attention et toute son énergie sur la très jolie Niki Keene...

Clay se leva à l'aube, trop énervé pour dormir. Il avait établi la première étape de sa stratégie : demander à tous ceux qui entouraient Niki de près ou de loin de convaincre la jeune femme qu'elle devait se présenter au concours.

Il essaya sa nouvelle tactique sur la première personne qu'il rencontra. Ce fut Jack, qui était venu chercher des conseils auprès de Tilly à propos des problèmes de dents d'Elsie.

— Nous avons vu la photo sur le journal, hier, dit Clay en le raccompagnant vers sa camionnette.

— Elle est bonne, hein ? lança Jack avec un grand sourire.

Clay hocha vigoureusement la tête.

— Niki est très photogénique, observa-t-il.

— Et elle est plutôt jolie, ajouta Jack, ce qui fit rire Clay.

— Vous voulez dire qu'elle est belle comme le jour ! C'est vraiment dommage qu'elle refuse de se présenter au concours.

— Quand j'ai vu la photo, j'ai cru qu'elle avait changé d'avis, murmura Jack en fronçant les sourcils.

— Non... J'ai bien peur qu'elle le regrette un jour. Il y a de très beaux prix à gagner, ainsi qu'un contrat avec Eve Hubbard, sans parler des voyages, d'une garde-robe gratuite, et de beaucoup d'argent, bien sûr.

Jack s'arrêta devant sa camionnette, pensif.

— Je sais qu'elle se plaît ici. Mais je pense que ça lui ferait du bien d'aller voir ailleurs ce qu'il s'y passe, au lieu de rester coincée à Hard Knox.

— Ah, vous le pensez aussi, souligna Clay, l'air le plus innocent du monde.

Il marchait sur des œufs.

— C'est curieux, non ? poursuivit-il avec calme. Je me demande pourquoi elle ne veut pas aller à Dallas...

Jack haussa les épaules.

— Vous savez comment sont les femmes. Elles se mettent de drôles d'idées en tête et nous devons faire semblant de les trouver raisonnables.

— Dani est comme ça, elle aussi ? demanda Clay en riant.

— Oh, oui ! Et Toni aussi. Tomber amoureux d'une Keene, c'est comme tomber amoureux d'un ouragan... Mais vous savez quoi ?

Jack lança son coude dans les côtes de Clay, qui se mordit la lèvre pour ne pas gémir de douleur, et reprit l'air malicieux :

— Elles sont tellement mignonnes qu'on leur pardonne tout !

Avec un grand rire, Jack monta dans sa camionnette. Avant de démarrer, il baissa sa vitre.

— Je vais parler à Dani, affirma-t-il. Peut-être qu'elle trouvera le moyen de convaincre sa sœur. Elle estime que Niki devrait voyager un peu et profiter de sa jeunesse et de sa beauté pour découvrir le monde dans les meilleures conditions possibles. Je suis sûr qu'elle rencontrera une foule d'admirateurs qui seront ravis de la sortir dans les meilleurs restaurants... Ce serait dommage pour elle de rater ça.

Il démarra dans un nuage de poussière. Clay éternua en se tenant les côtes. Il commençait à se demander s'il n'allait pas regretter sa démarche. S'il tenait tant à ce que Niki participe à ce concours, c'était pour qu'elle passe toute l'année prochaine avec lui. Il n'avait pas envisagé la foule d'admirateurs dont parlait Jack.

Il allait devoir modifier sa stratégie, songea-t-il en se dirigeant vers le ranch.

Les sourcils froncés, Niki épluchait les pommes de terre.
Il y en avait une montagne à côté d'elle, ce qui ne serait pas
de trop pour faire passer l'agacement qu'elle ressentait.
Pourquoi diable ne la laissait-on pas tranquille ? La parution
de sa photo dans le journal local semblait avoir réveillé
l'intérêt des gens pour le concours et ils tournicotaient
autour d'elle comme des abeilles autour d'une fleur. Exaspérée, elle lança une pomme de terre épluchée dans la grande
bassine qu'elle mettrait sur le feu tout à l'heure, afin de les
cuire et d'en faire une salade pour le dîner de ce soir. Un
dîner qui aurait lieu dehors, autour d'un feu de bois, après la
balade à cheval organisée pour les hôtes du ranch.
Elle faillit se couper le doigt en épluchant un énième
tubercule quand la porte s'ouvrit brusquement, pour livrer
passage à Dobe Whittaker. Le vieux cow-boy semblait très
agité.
— Dis-moi, fillette, où est passée ta grand-mère ?
— Elle m'a dit qu'elle allait vérifier une fuite, dans l'un
des bungalows... Mais c'était il y a une heure.
— Il va falloir que je fasse du porte-à-porte jusqu'à ce
que je mette la main dessus, grommela Dobe, avec son
franc-parler habituel.
Il semblait si agacé à cette idée que Niki eut l'impression
qu'il devait aller de ville en ville, et non de cottage en cottage... Il se détourna, prêt à s'en aller, quand il s'arrêta soudain.
— C'est quoi, tout ce raffut à propos d'un concours de
beauté à Dallas ? Les gens ne parlent que de ça, par ici.
— Ah, murmura Niki faiblement. Que disent-ils ?
— Que tu serais vraiment cinglée de laisser passer une
chance pareille.
La jeune femme dévisagea Dobe, pensive.
— Pourquoi me parles-tu de ce concours, Dobe ? D'habitude, tu ne t'intéresses guère à ce que je fais.

— Oui, mais ce truc a l'air de mettre ta grand-mère sur les nerfs. D'habitude elle est autoritaire, mais là, elle devient carrément tyrannique, se plaignit le cow-boy.

Niki réprima un sourire. Dobe adorait Tilly mais au lieu de former un couple parfait, ils se disputaient comme chien et chat. Personne, au ranch, n'y prêtait plus guère attention.

— Granny est la seule personne qui n'aborde pas ce sujet avec moi, dit-elle. Elle ne m'a jamais harcelée à propos de ce maudit concours.

— C'est parce qu'elle n'ose pas, rétorqua Dobe. Elle est convaincue que si elle s'y met, elle aussi, tu risques de te teindre les cheveux en rouge vif ou de te mettre des anneaux dans le nez pour que les gens te trouvent moins belle et te fichent la paix.

— J'en ai assez de toutes ces histoires... Cela devient ridicule, grommela Niki.

Elle lança d'un geste rageur la pomme de terre qu'elle venait d'éplucher dans la bassine, en saisit une autre.

— D'abord, c'est à cause de Clay, lâcha-t-elle du ton d'un enfant boudeur. C'est lui qui monte tout le monde contre moi.

— Franchement, Niki, je ne vois pas ce qu'il y a de mal à devenir riche et célèbre ! De plus, toute la ville profiterait de ton succès. Quant à Clay...

— Oui ? demanda-t-elle, en jetant un coup d'œil méfiant à Dobe.

— C'est un type bien. Il est capable de travailler du matin au soir, et de faire tout ce qu'il y a à faire dans un ranch. Tout, tu m'entends, fillette ? Evidemment, vu la façon dont on l'a élevé, ça ne m'étonne pas, mais...

— Comment a-t-il été élevé ? demanda Niki, soudain curieuse.

Clay n'abordait jamais sa vie privée devant elle.

— Dans un ranch, pardi ! Il a été... Oh, mais si tu veux en savoir plus, tu n'as qu'à le lui demander, fillette. Moi, il faut que je file retrouver ta fichue grand-mère. Elle va encore me traiter de vieux fou parce que les vaches se sont échappées du champ à l'ouest du ranch ce matin à l'aube et qu'elles ont été brouter les fleurs de sa pelouse.

La tête basse, comme s'il entendait déjà les hurlements de Tilly, il sortit de la cuisine en traînant légèrement ses bottes sur le carrelage.

Niki tourna et retourna la pomme de terre dans sa main, le regard perdu dans le vague. Dobe aurait-il raison ? Etait-elle en train de passer à côté de la chance de sa vie ? Et d'empêcher la ville de jouir d'une bonne publicité, uniquement parce qu'elle était gênée d'être belle ? C'était à se demander si elle était normale... Pour quelle raison obscure refusait-elle la beauté qu'elle avait reçue en héritage, et la richesse et la célébrité qui pouvaient aller avec ?

C'était la faute de Clay. C'était lui qui était venu la chercher pour le concours, et qui l'avait poursuivie, malgré son refus, jusqu'ici. Pourtant, à l'idée qu'il puisse repartir, elle en avait le cœur serré. Elle avait à la fois envie qu'il la laisse tranquille, mais aussi qu'il reste dans les parages. Elle rêvait de se trouver dans ses bras, mais ne voulait pas qu'il la touche.

Oui, vraiment, c'était à se demander si elle était normale.

Elle se leva et posa la pomme de terre non épluchée sur la table. Il fallait qu'elle fasse quelque chose, n'importe quoi. Elle ne pouvait pas rester dans cet état. Clay était en train de la rendre folle, lentement mais sûrement.

Une fois par semaine, durant la saison touristique, le ranch du Bar-K organisait une grande randonnée à cheval qui se terminait en fin de soirée par un gigantesque barbecue sur une colline surplombant les terres des Keene. Tout le monde y participait : hôtes et membres de la famille, palefreniers et ouvriers. A l'exception de Niki, puisqu'elle ne montait pas à cheval. Comme Sheila, la cuisinière, adorait monter, c'était Niki qui la remplaçait. Elle préparait des montagnes de nourriture, des tonnes de boissons fraîches, chargeait le tout dans un petit camion qu'elle conduisait jusqu'au sommet de la colline. Là, elle déchargeait, rangeait, disposait couverts et repas, puis elle attendait l'arrivée des randonneurs et de leurs montures.

La tâche était ardue, mais l'endroit était magnifique, songea-t-elle ce soir-là, en empilant du petit bois pour allumer le feu sur lequel elle avait l'intention de cuire les steaks et les saucisses qu'elle avait apportés. Avec un soupir satisfait, elle se redressa et balaya l'endroit du regard. Tout était en place : les couverts et les assiettes en carton étaient disposés sur des planches posées sur des tréteaux, les boissons étaient au frais dans la glacière portative, les plats, qui contenaient des victuailles dont la quantité aurait suffi à nourrir une armée entière, se trouvaient alignés sur de larges troncs d'arbres et étaient recouverts de torchons les protégeant des insectes.

Avec la conscience du devoir accompli, elle s'assit sur une souche et contempla la vallée. Ce ranch, c'était pour elle un petit paradis. Elle voulait y vivre, y vieillir, y mourir. Depuis le premier jour où elle y avait mis les pieds, elle avait senti un attachement profond pour ces terres, ces arbres et, bien sûr, la vieille maison qui formait le cœur de la propriété. Oui, elle serait au paradis si elle ne devait pas faire face à un problème qui revenait chaque jour, de façon lancinante : celui des chevaux.

En grinçant des dents, elle tourna le dos au paysage et se concentra sur les dernières tâches qui lui restaient à assumer. Bientôt, elle entendit le martèlement des sabots, le tintement des étriers, le grincement des selles, et tous ces bruits si familiers qui annonçaient l'arrivée des cavaliers. Elle arbora un sourire éblouissant en se tournant vers eux. Clay Russell menait la petite troupe, et il n'allait pas être déçu par la soirée qu'elle lui réservait. Elle avait, en effet, deux ou trois choses à lui dire...

— Je peux vous aider ?

La voix, malgré sa douceur, fit sursauter Niki. Elle lança un coup d'œil de côté, l'air furieux.

— Vous avez vraiment une sale manie, grommela-t-elle.

— Ah ? Laquelle ? Celle de vouloir vous aider ? rétorqua Clay, avec un sourire en coin.

— Non, celle de vous glisser derrière moi pour m'espionner sans vous faire remarquer... Chaque fois, vous me faites peur !

— Je ne vous espionne pas, ma jolie Niki. Mais il est vrai que je suis d'un naturel modeste et que je n'aime pas me faire remarquer.

A cette idée, il éclata de rire. Un rire si contagieux que la mauvaise humeur de Niki s'envola et qu'elle se mit à sourire.

Grands dieux, qu'elle était belle, songea Clay en la fixant d'un air béat. Son profil très pur, encadré par de longues mèches soyeuses et dorées, ses yeux immenses, d'un bleu si profond qu'il se teintait de violet, son corps mince aux courbes pourtant voluptueuses... Il y avait de quoi donner le vertige à n'importe quel homme normalement constitué. Mais ce qui le touchait le plus, c'était son air naturel, simple, comme si toute cette beauté n'était qu'un don du ciel qu'elle n'avait rien fait pour obtenir et que, au fond, cela ne la concernait guère.

Penchée au-dessus d'une pile d'assiettes sales, elle s'efforçait de trier les couverts en plastique pour les mettre de côté et de jeter les assiettes en carton dans la poubelle. De temps à autre, elle s'arrêtait pour lisser en arrière une mèche rebelle qui ne cessait de lui retomber sur les yeux.

— Laissez... Je vais le faire, proposa-t-il.

Il saisit entre deux doigts la mèche en question et fut surpris par la douceur de sa texture. C'était de la soie liquide, à laquelle les derniers rayons du soleil couchant donnaient un reflet irisé. D'elle-même, la main de Clay s'éleva et glissa sur la joue veloutée de Niki, frôla le coin de ses lèvres pulpeuses... Un contact bref, intense, qui alluma des étincelles dans les veines du jeune homme. En tremblant légèrement, il remit la mèche à sa place, derrière l'oreille de Niki.

Ces quelques secondes pendant lesquelles il avait à peine touché la jeune femme lui avaient paru d'un érotisme sans précédent. Il aurait voulu la prendre dans ses bras, regarder ses prunelles bleues virer au violet tandis qu'il se pencherait vers sa bouche pour y goûter un baiser passionné...

Niki poussa un léger soupir et se tourna vers la pile d'assiettes qu'un hôte venait de déposer devant elle. Le rose qui colorait ses joues prouvait qu'elle aussi avait ressenti une émotion particulière.

Clay laissa retomber son bras et tenta de reprendre la conversation.

— Vous n'avez pas répondu à ma question, dit-il d'une voix enrouée.

— Vous m'en avez posé une ?

— Je vous ai demandé si je pouvais vous aider.

— Vous ne voudriez quand même pas trier des assiettes et des couverts sales !

— Pourquoi pas ?

Il retroussa ses manches, révélant des avant-bras musclés et bronzés, et se mit à la tâche.

— Vous seriez surprise d'apprendre ce que je voudrais faire, murmura-t-il en lui coulant un regard en coin.

— C'est probable, répondit-elle sans le regarder.

— Poussez-vous, que je prenne votre place.

Sans attendre, il posa ses mains sur les hanches de Niki pour l'obliger à s'écarter. Il la sentit frémir sous ses paumes.

— Vous... Vous devriez plutôt... rejoindre les hôtes. Ils s'apprêtent à chanter, bredouilla-t-elle.

— Ils n'ont pas besoin de moi. Mais vous, si.

— Vous êtes l'un de nos hôtes, ce n'est pas à vous de faire ce genre de corvée, protesta-t-elle faiblement.

— Si je suis l'un de vos hôtes, j'ai le droit de faire ce qui me rend heureux.

Il eut un sourire entendu avant d'ajouter :

— Du moins, dans les limites du raisonnable.

Cette fois, il la souleva carrément et la posa deux mètres plus loin, comme si elle était une poupée de porcelaine. Puis il prit sa place et se mit en devoir de trier assiettes et couverts.

— Vous m'avez prévenu, quand je suis arrivé, que vous aviez deux ou trois choses à me dire, lui rappela-t-il tout en travaillant.

Elle se mordilla les lèvres, hésitante.

— Ce n'est peut-être pas le bon moment pour avoir une discussion, dit-elle finalement.

— Comme vous voudrez. Le repas était excellent, enchaîna-t-il en souriant.

— Merci.

Elle lui rendit son sourire, ce qui rendit Clay un peu plus audacieux.

— Qui aurait cru qu'une jeune femme aussi jolie pouvait être un cordon-bleu par-dessus le marché?

Le sourire de Niki disparut.

— Vous pensez que, lorsqu'on est jolie, on ne peut pas être assez intelligente pour faire de la bonne cuisine? demanda-t-elle un peu sèchement, les poings sur les hanches et l'œil bleu plein de défi.

— Au contraire, rétorqua Clay, amusé. Je pense qu'on peut être assez intelligent pour faire faire la cuisine par un autre.

— Figurez-vous que j'aime ça, surtout quand j'ai un peu de temps devant moi, marmonna Niki.

— Vous êtes du genre traditionnel, finalement, observa Clay.

Niki allait répliquer, mais elle se ravisa, pensive.

— Peut-être, admit-elle.

Elle hocha la tête et prit un carton pour y ranger les couverts.

— Vous n'arrêtez pas de me surprendre, Clay.

Les mots lui avaient échappé, comme si elle les avait retenus trop longtemps.

— Dans ce cas, vous deviez avoir beaucoup d'idées préconçues sur ce qu'était un cavalier professionnel.

— Sans doute.

— Tout comme j'avais quelques idées sur ce que pouvait être une reine de beauté, dit-il avec douceur. Niki... si nous recommencions tout, à partir de zéro?

Elle leva les yeux vers lui, étonnée. Leurs regards se soutinrent un long moment tandis que chacun abandonnait ses défenses et se rendait vulnérable à l'autre. Dans l'intimité de l'instant une complicité se glissa, et d'autres sentiments qu'ils ne connaissaient encore ni l'un ni l'autre.

— Niki, chuchota-t-il.

Elle se détourna, brusquement intimidée par l'intensité de son regard.

— Il faut que j'aille servir le café. Excusez-moi...

S'emparant de la cafetière, elle s'avança vers les randonneurs.

— Voilà du café bien chaud... Qui en veut ?

Dobe fut le premier à lever son gobelet en plastique.

— Moi ! Ça m'aidera à supporter le caractère de ta grand-mère, grommela-t-il. Et quand tu la serviras, ajoute beaucoup de sucre dans sa tasse, fillette... P't être que ça lui adoucira le tempérament.

Résigné, Clay vit Niki s'éloigner de plus en plus, tandis qu'elle faisait le tour de ses hôtes. Elle était aussi nerveuse qu'une pouliche qui n'aurait pas encore été débourrée, se dit-il tout en la suivant des yeux. Mais chaque fois qu'il tentait de l'amadouer, il parvenait à s'approcher un peu plus près d'elle avant qu'elle ne prenne le large. Bientôt, il pourrait la toucher sans qu'elle s'éloigne, la caresser peut-être. Et à ce moment-là, tous les espoirs lui seraient permis.

En sifflotant, il entreprit de jeter les piles d'assiettes en carton sales dans les grands sacs-poubelle prévus à cet effet.

Quand ils rentrèrent enfin au ranch, il était plus de 10 heures du soir. La journée avait été longue et la nuit serait courte. Les cow-boys s'empressèrent de filer vers leur dortoir tandis que les hôtes mettaient le cap sur leurs bungalows. Tilly, accompagnée de Clay et de Niki, pénétra dans la vieille maison silencieuse.

— Si vous voulez, je vais réchauffer le café, proposa Niki. Nous pourrions en boire une tasse avant d'aller nous coucher...

Avant que Tilly ou Clay puisse répondre, la sonnerie du téléphone retentit.

— Grands dieux, s'exclama Tilly. Qui peut bien appeler à cette heure ? J'espère que ce n'est pas une urgence...

Elle alla décrocher. Niki tendit une tasse à Clay.

— Non, merci... j'ai assez bu de café pour la journée ! Je crois que je vais aller vérifier la pompe de la piscine avant d'aller me coucher, annonça-t-il en réprimant un bâillement. Elle fait un drôle de bruit... Si elle se met à fuir, nous risquons de nous retrouver au milieu d'une mare demain matin.

« Nous »... Il avait dit « nous », un pronom qui les englobait tous les deux, et auquel Niki trouva une douceur soudaine. Comme s'il considérait qu'il faisait partie, lui aussi, du Dar K.

— D'accord, murmura-t-elle.

Il fronça légèrement les sourcils et son regard s'intensifia.

— Vous venez avec moi ?

Elle déglutit avec peine. L'air, entre eux, était à peine respirable tant il était chargé d'électricité.

— Je ne crois pas que ce soit une bonne idée, chuchota-t-elle.

Derrière eux, Tilly raccrocha l'appareil avec bruit.

— C'était Dani, annonça-t-elle.

— Que se passe-t-il ? demanda aussitôt Niki, les sens en alerte, comme chaque fois qu'un membre de sa famille risquait d'avoir un problème.

— La dent d'Elsie n'arrive pas à percer et elle casse les oreilles de ses parents depuis deux jours, voilà ce qu'il se passe, marmonna Tilly. Jack est parti à San Antonio pour un voyage d'affaires, mais Dani le soupçonne de déserter avant de devenir sourd.

— Et toi, bien sûr, tu vas la rejoindre pour la réconforter, dit Niki, qui connaissait sa grand-mère sur le bout des doigts.

— Il faut bien qu'elle dorme un peu, lâcha Tilly. Je vais passer la nuit là-bas.

— Comment ? Toute la nuit ?

Niki sentit son cœur chavirer vers ses talons. Non, sa grand-mère ne pouvait pas lui faire cela. La laisser seule dans la grande maison avec Clay. La jeune femme se tourna vers ce dernier. La tête baissée, il contemplait avec la plus grande attention la pointe de ses bottes.

— Mais oui, affirma Tilly d'un ton dégagé. Il va falloir

que je calme Elsie, ce qui ne va pas se faire en cinq minutes, en supposant que j'y arrive, bien sûr. Cela ne vous dérange pas, tous les deux ? demanda-t-elle, en les regardant tour à tour.

— N-non... P-pas du tout, balbutia Niki, en se tordant les mains.

Clay leva la tête, très calme.

— Ne vous inquiétez pas, madame Collins, je vais prendre les choses en main.

C'était exactement ce que craignait Niki.

— Merci, Clay, dit Tilly, qui hésita une seconde avant de poursuivre : Je suis désolée, mais pourriez-vous me rendre un autre service, Clay ?

— Tout ce que vous voudrez, rétorqua-t-il aussitôt, en souriant d'une oreille à l'autre, visiblement très content du tour que prenaient les événements.

— Auriez-vous la gentillesse de me conduire jusque chez Dani ? Je n'aime pas conduire dans l'obscurité, mes yeux ne sont plus ce qu'ils étaient. Dani me ramènera demain.

Quand elle vit Clay demeurer bouche bée, les bras ballants, Niki faillit partir d'un fou rire hystérique. Elle croyait entendre Clay penser tout haut :

« Mais c'est impossible, madame Collins... Si je vous conduis chez Dani, Niki sera endormie à mon retour, ou bien elle fera semblant. En tout cas, elle se sera barricadée dans sa chambre... Je n'aurai aucune chance de lui... »

— Mais bien sûr, madame Collins, articula Clay en se ressaisissant.

— Merci, mon cher. Je savais que je pouvais compter sur vous. Si vous voulez bien m'attendre quelques instants, je vais chercher mes affaires et je vous retrouverai devant le porche.

Elle s'éclipsa aussitôt et les deux jeunes gens restèrent face à face.

— Vous avez l'air de quelqu'un qui vient d'échapper à un grand danger, dit Clay, avec un léger sourire.

— Je ne vois pas du tout à quoi vous faites allusion,

déclara Niki avec mauvaise foi mais beaucoup de conviction.

Elle s'approcha de l'évier et y vida le café qu'elle avait eu l'intention de faire réchauffer, puis elle rinça la cafetière sous le jet d'eau du robinet. Elle espérait, en lui tournant ainsi le dos, qu'il comprendrait qu'il valait mieux la laisser tranquille. Quand elle l'entendit chuchoter dans son oreille, elle frémit de la tête aux pieds.

— Menteuse, lui chuchota-t-il.

— Je ne mens jamais, grommela-t-elle, en levant le menton bien haut.

D'accord, il lui arrivait d'exagérer une histoire, ou d'omettre une vérité, mais rien de plus.

— Vous voulez des preuves? Je vais vous en donner...

Il se pencha et pressa ses lèvres sur la peau satinée de la nuque de la jeune femme. Le cœur de Niki se mit à battre la chamade. Immobile, incapable de faire le moindre geste, elle attendit l'inévitable. La pointe de la langue de Clay taquina son oreille, tandis que la main du jeune homme glissait sur son épaule pour lui caresser un sein. Niki ne respirait plus, elle haletait, tout à coup submergée par des sensations excitantes, enivrantes, vertigineuses. Elle laissa tomber sa tête en arrière, offrant ses lèvres à celles de Clay. Il allait l'embrasser quand l'horloge de la cuisine tinta. Niki ne sut jamais si elle avait sonné le quart, la demie ou l'heure. Ce seul rappel du temps la fit se ressaisir. Elle esquiva la bouche de son compagnon, se redressa avec effort.

— Non, dit-elle dans un souffle. Granny vous attend, vous devez l'emmener.

— Je serai bientôt de retour, chuchota-t-il, l'œil assombri par le désir.

— Je ne vous attendrai pas.

— Niki, vous avez envie de moi autant que j'ai envie de vous. Pourquoi le nier?

— Vous vous trompez.

Les joues en feu, elle s'écarta de lui.

— Granny vous attend, répéta-t-elle.

Il hésita, comme s'il n'avait pas la force de s'éloigner.

— A plus tard, murmura-t-il en se détournant.

— Je vais me coucher tôt, je dormirai quand vous rentrerez !

Il eut un petit rire.

— Vous croyez vraiment que vous allez dormir? Eh bien, si vous y parvenez, je vous souhaite de faire de beaux rêves, ma jolie Niki... Mais si vous avez une insomnie, je serai là pour vous bercer, lança-t-il avant de disparaître.

7.

Clay avait à peine tourné les talons que Niki se précipita vers l'escalier. Une fois sur le palier, elle entendit la voiture démarrer. Elle allait s'enfermer dans sa chambre jusqu'au lendemain, décida-t-elle. Elle était certaine qu'elle ne fermerait pas l'œil de la nuit, mais Clay ne le saurait jamais.

Au contraire. Elle prendrait un malin plaisir à lui faire croire qu'elle avait dormi sur ses deux oreilles quand elle le verrait au petit déjeuner. Même si elle devait passer deux heures devant son miroir pour tenter d'effacer ses cernes et de colorer ses joues pour le convaincre qu'elle n'avait pas passé une nuit blanche à se languir de lui.

Elle se déshabilla à la hâte, les mains fébriles, le cerveau encore embrumé par les instants de passion qu'elle avait failli vivre entre les mains du séduisant cow-boy. Puis elle se précipita sous la douche, dont elle régla le thermostat à la température la plus basse possible. Son corps frémissant, ses sens embrasés, avaient un net besoin d'eau froide pour retrouver leur état normal. Mais dès qu'elle ferma les yeux sous le jet d'eau, le regard sombre de Clay, ses lèvres charnues, gourmandes, vinrent la tenter.

Grands dieux, elle avait eu raison d'interrompre la scène de séduction, tout à l'heure ! Elle ne voulait pas d'une brève aventure, même — et surtout — avec un homme aussi séduisant que celui-là. Une relation avec Clay Russell était vouée à l'échec. Cela ne ferait que lui briser le cœur, alors à quoi bon s'engager dans une voie, quand on sait à l'avance qu'il s'agit d'une impasse ?

Le problème, c'est qu'elle avait déjà fait quelques pas en direction de cette impasse. Son corps le lui rappelait, car il pulsait tout entier d'un désir inassouvi. Elle avait envie de faire l'amour avec Clay, une envie forte, intense, comme jamais elle n'en avait ressentie. Aucun homme, y compris Steven Miles, son premier amour et amant, ne l'avait embrasée d'un tel feu.

Le cœur battant la chamade, Niki sortit de la douche. L'eau froide ne lui avait fait aucun effet. Elle tendit la main pour prendre sa grande serviette-éponge et aperçut celle de Clay juste à côté de la sienne. Se détournant, elle vit sa brosse à dents qui tenait compagnie à la sienne, son savon posé près du sien... La présence de Clay était partout, dans cette salle de bains. Niki s'enveloppa en hâte de sa serviette et fila hors de la pièce comme si elle avait le diable à ses trousses.

Il fallut une petite heure à Clay pour déposer Tilly chez Dani et revenir au ranch. Jamais cinquante-cinq minutes ne lui avaient paru aussi longues... Une véritable éternité, songea-t-il en se garant devant la grande maison. Il n'avait cessé de penser à Niki. Sur le volant, sa main se contractait tant il avait encore la sensation du sein rond et ferme de la jeune femme sous sa paume, et sa langue passait et repassait sur ses lèvres pour goûter encore la saveur de sa peau tiède et satinée. Il n'en pouvait plus de l'attendre et de la désirer, et il se trouvait si près du but...

Quel but ? se demanda-t-il soudain. Il était grand temps de se rappeler qu'il avait pour mission de persuader la belle Niki de prendre part au concours et non de la mettre dans son lit ! Evidemment, l'un n'empêchait pas l'autre, et il était toujours prêt à apprécier le bon côté des choses... De plus, s'ils devenaient amants, il se ferait fort de faire comprendre à Niki qu'une année passée en sa compagnie risquait d'être très agréable. Jusqu'à présent, aucune de ses compagnes ne s'était plainte de ses prouesses au lit, au contraire. Mais il ne se servirait pas de ce genre d'argument pour convaincre Niki, décida-t-il. Il se rendait compte que la passion avec laquelle il la désirait n'avait rien à voir avec le maudit concours qu'Eve Hubbard l'avait chargé d'organiser. Non, cette passion était née de l'électricité qu'il avait ressentie la première fois qu'il l'avait touchée, de l'excitation qu'il éprouvait rien qu'à l'idée de l'embrasser, des vibrations puissantes qui parcouraient son corps quand il imaginait celui de Niki, nu de préférence.

Il aspira une grande bouffée d'air avant de s'extirper de la voiture, la tête emplie de visions extrêmement sensuelles de la jeune femme qui devait l'attendre, aussi impatiente que lui de renouveler leurs étreintes. Au milieu de l'allée qui menait au vieux ranch, il s'immobilisa, stupéfait. La maison était plongée dans l'obscurité, à l'exception de la lumière qui brillait sous le porche. Non... Ce n'était pas possible. Après leur interlude passionné dans la cuisine, elle ne pouvait pas s'être endormie paisiblement !

Un léger mouvement, derrière les rideaux en mousseline de la chambre de la jeune femme, l'alerta. Ainsi, elle était bien éveillée. Elle l'avait vu arriver et elle l'observait avant de se précipiter vers son lit et de se réfugier entre ses draps en faisant semblant de dormir au cas où il frapperait à sa porte. Demain, elle lui offrirait un sourire angélique et lui affirmerait qu'elle avait passé une excellente nuit.

A malin, malin et demi ! Elle voulait jouer ? Il se faisait fort de la battre sur son propre terrain ! Rasséréné, Clay grimpa les marches du perron deux par deux. Juste avant de pousser la porte, il s'arrêta pour inspirer longuement et feindre un calme imperturbable.

Si Niki voulait la guerre des nerfs, elle l'aurait. La partie serait serrée, mais il était sûr de la gagner. Son passé de champion de rodéo lui avait appris à se maîtriser, surtout quand l'enjeu était de taille.

*

Allongée sous son drap imprimé de fleurettes bleues et roses, Niki osait à peine respirer. Les sens aux aguets, les yeux écarquillés dans l'obscurité, les tympans assourdis par le martèlement de son cœur, elle se sentait aussi raide, aussi tendue que la corde d'un arc. Si Clay pénétrait dans sa chambre maintenant... Que ferait-elle ? Elle l'ignorait. Pourtant, il pourrait parfaitement entrer s'il le désirait. Elle n'avait pas verrouillé sa porte, car elle refusait de lui montrer le moindre signe de faiblesse.

Elle entendit les pas du jeune homme résonner dans le hall, puis faire grincer les marches de bois ancien du vieil escalier, longer ensuite le couloir... Niki s'arrêta de respirer. Il allait s'arrêter devant sa chambre, frapper à la porte, elle ne répondrait pas. Il ferait tourner tout doucement la poignée, s'avancerait dans l'obscurité. Elle ferait semblant de dormir. Il s'approcherait de son lit, se pencherait vers elle... Et alors, comment réagirait-elle ? Dans son cerveau, le suspense était insupportable. La sueur au front, les mains moites, elle visionnait son film en apnée totale.

Son film s'arrêta là, car le scénario était faux. Clay passa devant sa porte sans faire la moindre pause, sans même ralentir le pas et se dirigea droit vers sa chambre à lui. Eberluée, Niki reprit son souffle et cligna des paupières. Comment ? Après lui avoir fait la cour de façon passionnée, après lui avoir laissé entendre qu'il viendrait la rejoindre cette nuit, quoi qu'il arrive, il allait se coucher paisiblement ? Non, cela ne collait pas du tout avec le personnage !

Un bruit d'eau, dans la salle de bains adjacente, lui fit comprendre que Clay avait décidé de prendre une douche. Elle respira mieux. La situation redevenait normale. Après la douche, il se frictionnerait avec la grande serviette en éponge bleue qu'elle avait vue accrochée auprès de la sienne, et il sortirait de la salle de bains pour se faufiler dans sa chambre, à pas de loup. Car il serait pieds nus, bien entendu. D'ailleurs, il serait peut-être tout nu... A cette pensée, la tension de Niki monta d'un coup. Un tourbillon de fantasmes plus érotiques les uns que les autres fit valser ses neurones déjà surexcités. Elle perçut le grincement d'un robinet, le bruit d'eau cessa dans la pièce à côté. Frémis-

sante, elle se prépara à l'arrivée de Clay en tenue d'Adam.
Trop bouillonnante pour feindre l'immobilité et le sommeil,
elle décida de lui jouer la scène de la femme indignée. Elle
se voyait déjà, dressée sur son lit, les yeux étincelant de
colère, lui ordonner de sortir de sa chambre séance tenante.

La porte de la salle de bains s'ouvrit, puis se ferma en
douceur. Niki froissa les draps entre ses mains. Dans une
poignée de secondes, il aurait la main sur la clenche de sa
porte. Elle se mit à trembler de la tête aux pieds. Si elle le
voyait nu, les cheveux humides, l'œil velouté, comment
aurait-elle le courage de le renvoyer ? C'était absurde ! Pourtant, il le fallait absolument, pour deux raisons : primo, il
était hors de question qu'il use de son charme pour la persuader de prendre part à son concours stupide, secundo, il
était beaucoup trop sûr de ce fameux charme et il avait
besoin d'une petite leçon. Apparemment, les filles qui
l'avaient repoussé ne devaient pas être légion.

Les pas de Clay firent grincer le plancher du couloir. Le
cœur de Niki s'affola. Le moment de vérité était venu.

Le bruit décrut, puis cessa tout à fait et, soudain, ce fut le
silence. Le cœur de Niki s'arrêta de battre. Quand elle entendit la porte s'ouvrir — celle de la chambre de Clay, et pas la
sienne —, elle s'assit droit comme un i dans son lit. Elle
venait de comprendre que non seulement elle s'était encore
trompée de scénario, mais qu'en plus il n'allait même pas lui
fournir l'occasion de le repousser. Et ça, elle ne pouvait le
tolérer.

Non, elle ne subirait pas un camouflet pareil sans se venger, songea-t-elle, tremblant de colère cette fois. Il n'était
pas question qu'il la mette dans tous ses états et qu'il se
retire ensuite dans sa chambre, en l'ignorant complètement.

Son premier mouvement fut de se précipiter hors du lit
pour filer lui dire ce qu'elle pensait de son comportement.
Elle s'arrêta juste à temps. Il serait trop content de la voir
débarquer telle une furie, les joues en feu, la chevelure en
bataille et à demi dévêtue... Elle le voyait déjà avec son sourire en coin, son air satisfait, son regard ironique. Il lui dirait
probablement un compliment vraiment nul, du genre :

« Vous êtes encore plus jolie quand vous êtes en colère... »
Elle fondrait, bien sûr, et il n'aurait plus qu'à la prendre
dans ses bras et à...

L'idée la rendit folle. De fureur et de déception. Car se
trouver dans les bras de Clay était exactement ce dont son
corps avait envie, alors que son cerveau, lui, cherchait
fébrilement un moyen de se venger. Il ne lui restait qu'une
option : descendre dans la cuisine, se verser un verre
d'eau glacée et se le jeter en pleine figure pour tenter de
se calmer.

Debout derrière la porte de sa chambre, l'oreille aux
aguets, Clay entendit Niki ouvrir sa porte, se glisser dans
le couloir et tourner à gauche, vers l'escalier. Sa chambre
à lui se trouvait à droite de celle de la jeune femme. En
toute logique, il en déduit qu'elle n'avait donc pas l'intention de le rejoindre. Les poings serrés, il demeura quelques instants immobile dans l'obscurité en grinçant des
dents. Il devait imaginer une autre stratégie, maintenant.
Niki allait être surprise de voir à quel point il avait de
l'imagination...

Niki n'avait pas besoin de lumière pour se diriger dans
la maison. Quant à la cuisine, elle la connaissait comme
sa poche, à force de la nettoyer, de la ranger, d'y travailler. Pieds nus, elle se dirigea droit vers le réfrigérateur
monumental dont le moteur ronronnait comme celui d'un
747. Au lieu d'en ouvrir la porte, elle appuya le front
contre la surface immaculée et fraîche et tenta de calmer
sa respiration. Jamais un homme ne l'avait bouleversée à
ce point. Clay l'avait pour ainsi dire mise en ébullition, et
elle ne savait pas comment éteindre l'incendie. En
d'autres circonstances, elle aurait jugé la situation plutôt
comique.

Niki Keene, réputée pour son calme, son esprit de décision et sa parfaite maîtrise d'elle-même, celle qui n'avait
jamais perdu la tête pour un homme, cette Niki-là se trouvait
dans l'obscurité de la cuisine, la tête contre la porte du réfrigérateur, en train d'essayer désespérément d'apaiser la flam-

bée de désir sexuel qui la ravageait. Heureusement, elle avait réussi à garder un contrôle suffisant pour résister à ses pulsions. Ou bien était-ce la peur de suivre son instinct qui l'avait empêchée d'attendre Clay pour reprendre leur interlude torride?

Elle soupira. Demain serait un autre jour. Elle se serait ressaisie et Clay pourrait toujours loucher vers elle avec cette petite flamme qui couvait dans ses yeux sombres, rien ne pourrait lui faire perdre son sang-froid. L'important était de résister jusqu'à l'aube. Pour cela, elle avait une arme : la limonade, servie avec beaucoup de glaçons. D'un geste décidé, elle ouvrit la porte du réfrigérateur, se pencha pour repérer où se trouvait la boisson qu'elle convoitait, tendit la main pour saisir le pichet...

— Puis-je vous aider?

— Aaaah...

La voix, rauque et douce, la fit se redresser d'un bond. Elle se cogna le crâne contre la grille la plus haute de l'appareil, gémit et se retourna, bouche bée, la main sur le cœur. Il allait finir par lui causer une crise cardiaque!

— Vous! s'exclama-t-elle.

— Vous attendiez quelqu'un d'autre? Dans cette tenue?

Sous son regard intense, elle prit conscience qu'elle ne portait qu'un T-shirt sans manches, dont l'ourlet effleurait le haut de ses cuisses, et rien d'autre. Quant à lui, son seul vêtement était la serviette bleue qui lui ceignait les reins.

— Je... j'avais soif, bégaya-t-elle en rougissant.

— Soif? répéta-t-il en haussant les sourcils. Eh bien, cela a l'air de vous mettre dans un drôle d'état. Vous me semblez très agitée.

— Clay...

Sa voix s'étrangla. Elle toussota avant de reprendre :

— Vous n'êtes que de passage, ici. Je veux dire au ranch, pas dans la cuisine, bredouilla-t-elle. Et c'est dans le but de me faire changer d'avis à propos du concours. Vous n'avez pas besoin de me faire l'am... Je veux dire, la cour, pour arriver à vos fins, acheva-t-elle dans un souffle.

Son cœur battait la chamade. Jamais elle n'avait débité

une tirade aussi confuse. C'était la faute de Clay. Pourquoi la regardait-il ainsi, comme s'il voyait à travers le coton de son T-shirt?

— Ce n'est pas le concours qui me donne des idées à votre sujet, Niki. Ce n'est pas pour vous faire changer d'avis que j'ai l'intention de vous faire l'amour.

Elle frissonna, les mains glacées, le front brûlant.

— M-moi, j-je n'en ai pas l'intention, balbutia-t-elle, en reculant d'un pas pour agripper le bord de la table et maintenir son équilibre.

Déjà, Clay avait le don de la déstabiliser. Mais là, il avait fait très fort. Elle se sentait complètement désemparée, au point que, s'il lui avait demandé son nom, elle n'aurait pas su quoi lui répondre!

— Oh, si, affirma le jeune homme, le regard rivé au sien.

Lentement, délibérément, les yeux toujours plongés dans ceux de Niki, il tendit la main et la posa sur son sein frémissant.

— Non, chuchota-t-elle, tandis que ses prunelles viraient au violet et clamaient le contraire. Non...

Il la prit dans ses bras et plaqua sa bouche sur celle de Niki.

Elle ouvrit ses lèvres sans même qu'il le lui demande, car elle était aussi avide de goûter ce baiser que lui. Sous la paume brûlante de Clay, la pointe de son sein se durcissait. Elle se sentit tout à coup vulnérable, si faible qu'elle se sentait incapable de résister à l'envie qu'elle avait de lui.

— Oh, Clay, murmura-t-elle, en s'abandonnant contre lui.

Il savait qu'elle venait de rendre les armes. S'arrachant à sa bouche, il fit pleuvoir sur son ravissant visage une pluie de baisers à la fois tendres et passionnés, comme s'il voulait la rassurer, lui faire comprendre qu'il éprouvait autant d'émotion que de désir. En même temps, il glissa ses mains sous le T-shirt trop grand et les fit courir sur la peau nue et frémissante de Niki. Puis, l'impatience le gagnant, il ôta le vêtement d'un geste si rapide qu'il stupéfia la jeune femme. Elle eut tout juste le temps de se demander combien de fois il avait répété ce geste et avec combien de femmes avant elle, puis elle oublia tout quand il lui prit la bouche en un baiser ardent et fiévreux.

— Niki, murmura-t-il en reprenant son souffle.

Il la serra contre lui et la jeune femme sentit que ses courbes épousaient parfaitement le corps nu et musclé de Clay, à croire qu'ils avaient été créés l'un et l'autre comme les deux pièces d'un puzzle destinées à s'emboîter. Ils échangèrent un regard passionné et surent que le désir qu'ils éprouvaient était pleinement partagé. Alors Clay saisit Niki par la taille, la souleva et la déposa sur le bord de la table de bois ancien et patiné. Puis il se pencha et quand il taquina des lèvres et de la langue les pointes roses des seins veloutés qu'elle tendait vers lui, il l'entendit gémir son nom.

— Clay...

Il eut un petit rire de gorge, enroué et satisfait. Pourtant, ses mains tremblaient tandis qu'elles exploraient le corps de la jeune femme. Elle n'était pas la première qu'il caressait ainsi, mais il devinait déjà, tout au fond de lui, qu'elle serait la plus importante, celle dont le souvenir risquait de le hanter jusqu'à la fin de ses jours. Jamais des seins ne lui avaient paru aussi ronds, aussi voyeurs, une peau aussi douce, une bouche aussi parfumée. Il lui semblait que c'était la première fois qu'il découvrait un corps de femme, et le vertige le prenait quand il songeait aux délices que celui de Niki lui promettait. Elle était si parfaite, avec sa peau satinée qu'irisait un rayon de lune, avec ses courbes voluptueuses qui lui emplissaient les mains, et la passion qui couvait dans ses grands yeux ! Lorsqu'il la vit s'arquer pour mieux s'offrir à lui, et l'implorer de prendre davantage, il n'y tint plus et se glissa en elle.

Le petit cri rauque qui s'échappa des lèvres de sa compagne augmenta encore l'excitation puissante qu'il ressentait. Les traits tendus par le désir, il se dressa, se cabra, avant de replonger en elle, encore et encore... Un long gémissement résonna dans la cuisine inondée par la clarté laiteuse de la lune. C'était celui de leurs voix qui se mêlaient comme le faisaient leurs corps et qui exprimaient une même jouissance, intense et fulgurante.

Longtemps ils demeurèrent pressés l'un contre l'autre, incrédules et tremblants.

— Je savais que cela se passerait comme ça, entre nous, chuchota Clay à l'oreille de Niki.

— Je le savais aussi, murmura-t-elle d'une voix alanguie.

Avec un soupir, Clay releva enfin la tête et la regarda avec un léger sourire.

— J'ai beau apprécier le courant d'air froid dans mon dos, je me demande si je ne devrais pas refermer la porte du réfrigérateur.

A sa surprise, il vit les épaules de Niki secouées sous l'effet du fou rire.

— Je m'attendais à tout, sauf à ce genre de phrase, après ce que nous venons de vivre! s'exclama-t-elle entre deux éclats de rire.

— Qu'est-ce que j'aurais dû dire, à ton avis? demanda-t-il, intrigué.

— Eh bien... Une phrase subtile, comme « Excuse-moi, je ne sais pas ce qui m'a pris... »

— Je sais très bien ce qui m'a pris, Niki.

Il lui prit la main, la retourna pour déposer un baiser sur sa paume avant d'ajouter :

— En fait, cela m'a pris dès que je t'ai vue. Et cela n'a pas cessé depuis.

— Tu veux dire que tu as pensé à moi tout le temps?

— Tout le temps, affirma-t-il. Je n'ai pas arrêté de fantasmer à ton sujet, de rêver que je te faisais l'amour...

— ... Ici, dans la cuisine, à la lumière du réfrigérateur? intervint-elle d'un ton taquin.

— Si l'endroit est trop exotique pour toi, je suis prêt à recommencer dans un lit, lui susurra-t-il à l'oreille.

Rougissante et stupéfaite, elle se rendit compte qu'elle avait encore envie de lui. Elle ne put qu'acquiescer. Avec un petit rire triomphant, Clay la prit dans ses bras et l'emporta vers l'escalier.

*

Si la cuisine avait été le témoin d'une explosion des sens, un vrai feu d'artifice, la chambre fut propice à une exploration tendre et sensuelle, à un dialogue comportant autant de caresses que de mots. Après avoir fait l'amour longuement, en prenant tout leur temps, ils se blottirent l'un contre l'autre, à la fois épuisés et comblés.

— J'aimerais savoir quelque chose, murmura Clay, les mains entourant les épaules de Niki.

— A quel propos?

La voix de la jeune femme était étouffée, car elle avait les lèvres contre le torse de son amant.

— Au sujet de ta mère et toi. Tu m'as dit que vous vous ressembliez étonnamment. Mais j'ai l'impression que la ressemblance ne s'arrêtait pas au physique...

— Je n'aurais jamais dû te parler d'elle, dit Niki avec un soupir.

— Pourquoi?

— Parce que, dans cette ressemblance, il y a certains aspects dont je ne suis pas très fière.

— Moi aussi, j'ai connu des périodes dans ma vie que je n'aime pas trop évoquer, dit-il doucement. Faisons un marché: tu me parles de toi et je te parle de moi. Je veux connaître tout ce qu'il y a à connaître sur toi, Niki, ajouta-t-il avec une certaine gravité.

Elle hésita un instant. Puis elle prit une profonde inspiration avant de se jeter à l'eau.

— Ecoute-moi bien, Clay. Ce que je vais te dire, je ne l'ai encore dit à personne, même pas à mes sœurs. Alors ne répète jamais ce que je vais te confier...

Elle hésita de nouveau, cherchant ses mots.

— Il y a longtemps, j'ai fait exactement la même bêtise que ma mère, murmura-t-elle. Je suis tombée amoureuse d'un homme beaucoup plus âgé que moi, et aussi beaucoup plus sophistiqué. J'avais dix-sept ans, il en avait quarante... Je me suis retrouvée enceinte, comme ma mère.

Clay tenta de dissimuler son ahurissement.

— Tu as... un enfant? demanda-t-il dans un souffle.

Elle secoua ses longues mèches blondes.

— J'ai fait une fausse couche, tout à fait au début de la grossesse. Personne ne l'a remarqué.

— Qu'est devenu cet homme ? siffla-t-il entre ses dents.

— Il a quitté la ville le jour où je lui ai dit que j'attendais un bébé. Je ne l'ai jamais revu. J'avoue que son départ m'a soulagée.

Niki eut un petit rire amer.

— Je croyais au grand amour et aux fins heureuses. Je me suis rendu compte qu'il ne m'avait voulue que parce que j'étais jeune, jolie, passionnée... et encore vierge.

Elle battit des cils, comme pour éloigner de tristes visions.

— Dans un sens, j'ai eu de la chance. A la différence de ma mère, j'ai appris la leçon sans trop de séquelles.

Clay devina qu'elle ne lui avait raconté que la moitié de l'histoire. Il lui caressa les épaules et la nuque gentiment.

— Vas-y, dis-moi tout, Niki, insista-t-il. Tu te sentiras mieux après.

— Ma mère... Ma mère, elle, s'était mariée, et mon père n'aimait pas les enfants. Alors trois d'un coup, il ne l'a pas supporté. Il est parti et n'a jamais plus donné de ses nouvelles. Il n'a envoyé à ma mère ni message, ni argent, et n'a pas marqué le moindre intérêt pour la famille qu'il avait quittée après l'avoir fondée. Nous avons grandi sans savoir s'il était vivant ou mort... Il y a trois ans, nous avons appris qu'il nous laissait le ranch en héritage. Je suppose qu'il tentait de compenser ainsi ce qu'il ne nous avait pas donné de son vivant. Ou bien qu'il n'avait personne d'autre à qui le léguer.

— Il regrettait peut-être d'avoir déserté sa famille, dit Clay à mi-voix. Je sais que cela ne me regarde pas, mais je crois que cet homme a dû beaucoup souffrir.

— Possible, marmonna Niki avec un haussement d'épaules.

Un long soupir s'échappa de ses lèvres encore gonflées de baisers. Elle se sentait mieux, tout à coup. Plus légère, comme délivrée d'un poids qu'elle aurait porté sans en avoir conscience.

— J'ai encore une question, chuchota Clay.

— La dernière, alors.

— Promis. Qu'est-ce qui a provoqué la cicatrice que tu as derrière le genou gauche ?

— Oh, ce n'était rien de grave... A ton tour, maintenant, s'empressa-t-elle d'ajouter. Raconte-moi les périodes difficiles de ta vie.

— J'avais dix ans quand ça a commencé. Mes parents se sont tués dans un accident de voiture en Californie, et on m'a confié à un oncle et une tante qui n'avaient pas d'enfants et qui n'avaient jamais voulu en avoir. J'ai vécu dans leur ranch, dans le Montana. J'ai commencé à fuguer de chez eux à douze ans. A dix-sept ans, je suis parti pour de bon. Aujourd'hui, nos relations se limitent à un coup de fil une fois par an. Je suis leur seul héritier, et je sais qu'un jour ou l'autre ils me laisseront leur ranch. J'avoue que je m'en fiche éperdument.

Niki se redressa pour le regarder.

— Tu as eu une enfance très dure, dit-elle avec compassion. Moi, au moins, j'ai grandi entourée d'affection. Celle de ma mère, pendant quelques années, et puis celle de ma grand-mère et de mes sœurs.

— Je sais, avoua-t-il, le visage enfoui dans la chevelure de la jeune femme. C'est peut-être pour cela que je n'ai pas arrêté de chercher de la tendresse depuis. Mais je n'ai pas dû regarder là où il fallait.

Il n'avait pas terminé sa phrase que la réalité l'atteignit comme un coup de poing au beau milieu du plexus, lui coupant le souffle. Etait-il enfin en train de regarder au bon endroit ? Etait-ce la femme qu'il n'avait cessé de rechercher qu'il tenait maintenant entre ses bras ? Ou bien était-il en proie à un pur fantasme, né d'un désir érotique comme il n'en avait jamais connu ?

— Je vois que tu as fait ton choix, finalement, dit tout à coup Niki, en étouffant un bâillement.

— De quel choix parles-tu ?

— Il te fallait choisir entre moi et la prochaine reine des cow-boys, figure-toi. Etant donné les circonstances, je crois que tu l'as fait... Tu as pris la femme, alors tu peux oublier la candidate, Clay.

« C'est ce que tu penses », se dit le jeune homme en la serrant un peu plus contre lui. Car il avait l'intention d'avoir les deux. Niki dans son lit et aussi sur un podium, avec une couronne sur la tête. Mais ce n'était sans doute pas le bon moment pour le lui avouer.

Granny était rentrée vers 5 heures du matin. Niki avait tout entendu : le bruit du moteur de la vieille camionnette de Jack, quand il l'avait déposée devant le porche, le grincement de la porte qui s'ouvre et se referme, et ensuite le vacarme dans la cuisine. Apparemment, la vieille dame avait une pêche d'enfer, malgré sa nuit écourtée. Il suffisait à Niki d'entendre les casseroles s'entrechoquer, les verres et les couverts tinter, et les appareils ménagers de toutes sortes gronder et ronronner, pour s'en persuader.

Autant affronter le monde tout de suite, se dit la jeune femme en repoussant ses draps. Elle avait les paupières lourdes de sommeil, le corps endolori et courbatu, mais elle en avait appris plus en quelques heures qu'en une dizaine d'années sur les rapports entre un homme et une femme. Notamment sur le plan physique. En un mot, elle savait tout ce qu'elle avait toujours voulu savoir sur le sexe sans jamais oser le demander.

Elle lança un regard à la fois attendri et perplexe à Clay, qui dormait comme un bébé.

Qu'espérait-il d'elle ? Lui avait-il fait l'amour dans le seul but de le faire changer d'avis pour qu'elle participe au concours ? Dans ce cas, sa stratégie était bonne, car elle commençait à hésiter... La perspective de passer les douze mois suivants en sa compagnie, notamment les nuits, lui semblait plus qu'alléchante.

Si elle continuait à regarder Clay comme elle le regardait, elle risquait de se laisser tenter par certaines pensées... Il fallait qu'il file dans sa chambre avant que Granny ne décide de venir voir pourquoi Niki n'était pas déjà dans la cuisine pour l'aider à préparer le petit déjeuner de leurs hôtes. Elle se pencha et le prit par l'épaule pour le secouer.

110

— Clay... Réveille-toi ! Il est l'heure. Il faut que tu retournes dans ta chambre. Granny est arrivée et...

— Hein ?

Il était tellement mignon, avec ses cheveux en broussaille, ses yeux mi-clos et sa barbe naissante qu'elle faillit craquer et se laisser aller dans ses bras quand il tenta de la serrer contre lui.

— Non, Clay... Il faut que tu t'en ailles, et vite !

Il finit par soulever une paupière tout à fait et par la regarder. Un lent sourire étira ses lèvres.

— Que tu es belle, le matin, murmura-t-il.

— Ce n'est pas le moment de me séduire ! dit-elle en secouant la tête et en s'empêchant de sourire à son tour.

Elle se dégagea et saisit son peignoir qui était tombé à terre.

— Il faut que je m'habille et que je descende aider Granny, déclara-t-elle en enfilant son vêtement. Toi, tu peux continuer à dormir si tu veux. Mais dans ta chambre, pas ici.

Il se redressa, tout à fait réveillé cette fois. Le drap lui retomba sur les hanches et Niki vit en plein jour ce qu'elle n'avait fait que deviner vaguement dans l'obscurité.

— Grands dieux, Clay ! Tu es couvert de cicatrices !

Elle plissa les yeux pour mieux observer les lignes qui lui barraient le torse un peu partout.

— Désolé, mais tu m'as dit de filer. Je t'obéis !

Décidé à éviter les questions de Niki, il joignit le geste à la parole, roula hors du lit et se mit debout. Il lança un coup d'œil autour de lui en fronçant les sourcils.

— Où est ma serviette ?

— Oh, non, gémit Niki. Elle est restée en bas, dans la cuisine. Avec mon T-shirt...

Grands dieux, la journée démarrait sur les chapeaux de roues !

Granny n'eut pas l'air étonné le moins du monde en apercevant une serviette-éponge bleue, gisant devant le réfrigérateur, et un T-shirt roulé en boule sous la table de la cuisine. Elle ne fit pas la moindre remarque à Niki, quand celle-ci la rejoignit pour préparer le petit déjeuner. La vieille dame emporta ces deux articles dans la buanderie comme s'il était tout naturel de les avoir trouvés sur le carrelage de la cuisine.

En revanche, elle s'étonna de la mine de sa petite-fille.

— Mon Dieu, ma chérie, j'espère que tu ne couves pas la grippe ! Tu as l'air épuisé, ce matin.

Horriblement gênée, Niki piqua le fard de sa vie. Elle tenta de le dissimuler en baissant le nez vers l'évier dans lequel elle lavait une batterie de casseroles.

— N-non, Granny... Je vais très bien. Je... j'ai simplement eu une insomnie, cette nuit, bredouilla-t-elle en frottant un fond de casserole avec la plus grande énergie.

— Dans ce cas, repose-toi un peu aujourd'hui, répondit calmement sa grand-mère. Si tu veux bien laisser tranquille cette pauvre casserole qui ne t'a rien fait, je préférerais que tu ailles déposer la pile de crêpes sur la table, Niki chérie.

La jeune femme s'exécuta promptement, heureuse d'échapper ainsi au regard inquisiteur de Tilly. Les bras chargés du plat contenant les crêpes, elle pénétra dans la salle à manger. Assis autour de la grande table, une bonne douzaine de touristes écoutaient avidement Clay, qui leur racontait l'un de ses exploits. Ce dernier leva la tête quand elle entra, imité par ses fans. Il lui fit un clin d'œil, et Niki piqua son second fard de la matinée, sous une douzaine de regards surpris... et malicieux.

Mortifiée, la jeune femme posa le plat, leva bien haut son petit menton, et tourna les talons pour se dépêcher d'aller cacher ses joues brûlantes ailleurs.

Décidément, la journée s'annonçait difficile.

Niki n'était pas au bout de ses peines. Un peu avant la fin de la matinée, elle décida de passer l'aspirateur dans tout le rez-de-chaussée. Elle terminait de nettoyer l'entrée quand la porte s'ouvrit d'un coup, laissant passer un personnage assez étonnant.

La femme était blonde, grande, très mince, vêtue d'un tailleur-pantalon noir, dont la veste cintrée et largement échancrée dévoilait un bustier rose vif, au décolleté profond.

Avec un sourire éblouissant, elle tendit la main à Niki. Ahurie, celle-ci la prit et fixa la femme comme s'il s'agissait d'une apparition surnaturelle. Jamais Niki n'avait vu quelqu'un d'aussi sophistiqué. A lui seul, son maquillage devait valoir une petite fortune, se dit-elle en observant le teint lissé, poudré et subtilement coloré, les paupières fardées, les cils noircis, les lèvres ourlées de rose.

— Bonjour, je suis Eve Hubbard, dit l'apparition. Et vous, vous devez être Niki Keene, ajouta-t-elle avec fermeté, comme s'il ne pouvait en être autrement.

Devant le regard hébété de Niki, Eve se sentit obligée d'expliquer :

— Je suis la propriétaire de Hubbard Grand Ouest. Vous savez, celle qui organise le concours...

Niki sentit son estomac chavirer lentement dans ses talons. Son petit doigt lui soufflait que la journée risquait d'être carrément épouvantable.

8.

— Oh, bien sûr... Bonjour, madame Hubbard. Que puis-je faire pour vous ? demanda Niki, en sortant enfin de son hébétude. Clay ne nous a pas prévenus et nous ne nous attendions pas à votre visite.

— Il ne pouvait pas vous prévenir pour la bonne raison qu'il l'ignorait, ma chère enfant.

La femme lança un regard souligné de brun autour d'elle, puis revint à Niki.

— Appelez-moi Eve, dit-elle. D'autant que c'est pour faire connaissance avec vous que je suis là.

Le visage de Niki se crispa.

— Dans ce cas, vous risquez de regretter votre voyage, Eve.

— Je ne regrette jamais rien, Niki.

Un sourire froid plaqué sur ses lèvres fuchsia, Eve détailla avec intérêt la tenue que portait la jeune femme.

— Ces vêtements, c'est moi qui les ai dessinés, observat-elle avec satisfaction.

Surprise, Niki jeta un coup d'œil à sa chemise en coton lavande et son jean assorti. Elle aurait été incapable de se souvenir de ce qu'elle avait enfilé ce matin, tant elle était agitée.

— J'aime bien ce que vous faites, admit-elle. J'achète vos vêtements les yeux fermés, car ils sont modernes, bien coupés et de bonne qualité.

— Et ils vous vont à la perfection, renchérit Eve en hochant la tête.

— Merci.

Niki se mordilla la lèvre inférieure, comme d'habitude lorsqu'elle était perplexe. Pourquoi diable Eve était-elle venue ?

— Euh... Clay vous a sûrement dit que je ne tenais pas à participer à votre concours, commença-t-elle.

— Il m'en a vaguement parlé, mais j'ai préféré ne pas tenir compte de sa remarque.

— C'est dommage, car elle est fondée, affirma Niki. J'ai vraiment décidé de me retirer de l'épreuve finale, et Clay m'a promis de ne plus me harceler pour que je change d'avis. D'ailleurs, je pense qu'il n'a pas l'intention de rester ici. Il sait que ma décision est prise une fois pour toutes.

Elle songea, le cœur serré, que si Clay s'en allait, ce serait sans doute à cause de ce qui s'était passé entre eux cette nuit. Il allait prendre conscience que, s'il avait réussi à séduire la femme, il n'était pas parvenu à convaincre la candidate. Dans ce cas, pour quel motif resterait-il ? Une fois qu'il serait parti, sa vie reprendrait son cours normal, se dit Niki.

Sauf qu'elle n'en croyait rien.

Eve la dévisagea, l'air sceptique.

— Cela me surprend, déclara-t-elle. Ce concours est très important pour la carrière de Clay.

— Pourquoi ? ne put s'empêcher de demander Niki.

— Parce que, s'il ne trouve pas la candidate idéale pour incarner ma ligne de vêtements et lancer ma prochaine campagne publicitaire, il peut dire adieu à son contrat avec Hubbard Grand Ouest, affirma Eve.

— Dans ce cas, il reviendra au rodéo... Je suis sûre qu'il sera ravi de se remettre en selle. Il passe son temps avec les chevaux, ici, expliqua Niki. Après tout, Clay n'est pas une vedette de la publicité, c'est un champion de rodéo !

— Etait, murmura Eve.

— Etait quoi ? demanda Niki, surprise.

— Clay était un champion de rodéo, il ne l'est plus,

observa Eve. Il s'est blessé chez vous, n'est-ce pas ? Le médecin qui l'a soigné lui a fait un diagnostic assez pessimiste. Son corps est dans un piteux état, et la moindre blessure peut avoir de graves conséquences sur son organisme, désormais. S'il veut éviter de passer le reste de ses jours dans un fauteuil roulant, il n'a pas intérêt à revenir dans le circuit des rodéos.

Devant l'air horrifié de Niki, Eve ajouta, tout sourires :

— Ne vous inquiétez pas pour lui, ma chère enfant. Je vais le garder sous contrat encore deux ou trois ans... A condition, bien sûr, qu'il me déniche Miss Hubbard Grand Ouest.

— Je vois, murmura Niki.

En fait, elle ne voyait rien du tout. Les nouvelles que Eve Hubbard lui assenait depuis quelques minutes lui donnaient le vertige.

— Je l'espère, ma chère, reprit Eve, inexorable. Oui, j'espère que vous voyez qu'il n'a pas pu se résigner au retrait de votre candidature. D'ailleurs, ce matin même, il a laissé un message sur mon répondeur. Comme j'ai une mémoire extraordinaire, je peux vous le réciter mot pour mot : « Eve, la situation s'est améliorée d'un coup. » Ce n'est pas le message d'un homme qui se résigne devant un refus, n'est-ce pas ?

— Non, soupira Niki.

— Nous sommes d'accord, trancha Eve. Et maintenant, soyez gentille, montrez-moi ma chambre. J'ai besoin de défaire mes bagages.

— Votre chambre ? répéta Niki, ahurie. Vous avez l'intention de rester ici ?

— Evidemment.

— Mais c'est impossible !

Eve plissa les yeux et fronça ses sourcils parfaitement épilés et redessinés.

— Je n'ai pas fait quatre heures de route pour vous dire bonjour et repartir, vous savez.

— Mais... Le ranch est plein. Nous n'avons plus un bungalow de libre. Je ne vois vraiment pas où vous allez pouvoir dormir...

116

— Dans la chambre de Clay, par exemple. Oh, ne me regardez pas comme cela! s'exclama Eve en éclatant de rire. Clay peut aller passer la nuit ailleurs, dans un dortoir ou dans une grange... Après tout, je suis sûr qu'il a souvent dormi à la belle étoile.

— Le problème, c'est qu'il ne loge même pas dans un cottage. Nous avons dû lui attribuer une chambre ici, dans la maison.

— Eh bien, ce sera parfait pour moi aussi, affirma Eve.

Niki hocha la tête, dubitative.

— Je suppose que Granny ne verra pas d'inconvénient à ce que vous preniez la chambre de Toni, marmonna-t-elle.

— Cela m'ennuie de déranger quelqu'un que je ne connais pas. Il vaut mieux que je prenne celle de Clay, protesta Eve.

— Oh, non, Toni est ma sœur et elle vient de se marier. Elle n'habite plus ici.

— Dans ce cas, je ne vois pas où est le problème! déclara Eve, ravie.

— C'est juste que nous gardons ces chambres pour les membres de la famille, murmura Niki, embarrassée.

— Ma chère, considérez-moi comme l'une des vôtres, et le tour sera joué! Je vais chercher mon sac, lança-t-elle en se précipitant dehors, comme si elle avait peur que la jeune femme ne change d'avis.

Mais Niki ne pensait déjà plus à ce problème de chambre. C'était à Clay qu'elle songeait, en le maudissant de tout son être. Cette ordure n'avait pas hésité à la séduire dans le seul but de la manipuler. Il était si sûr de lui et de son charme qu'il avait dû se dire que, après avoir passé une nuit avec lui, elle serait prête à dire oui à tout ce qu'il lui proposerait. Y compris à participer à ce satané concours. Eh bien, il allait déchanter, et vite! Les révélations que venait de lui faire Eve n'avaient fait que renforcer la détermination de Niki à ne pas aller à Dallas pour la finale.

La porte s'ouvrit et Eve surgit, les mains vides mais le sourire radieux. Elle se tourna pour maintenir la porte ouverte, et ce fut une silhouette masculine qui apparut cette fois sur le seuil. Grand, les épaules larges, le cheveu poivre et sel, la moustache insolente et l'œil bleu malicieux, Travis Burke aurait pu incarner le Grand Ouest à lui tout seul, se dit Niki en le regardant s'approcher. Le seul détail incongru était le ravissant et très féminin sac de voyage qu'il balançait au bout de son bras droit.

Niki savait par Dani que Travis, trois fois marié et trois fois divorcé, avait décidé de bannir les femmes de son existence. Pourtant, il couvait Eve du regard comme un chat louchant sur une soucoupe emplie de lait.

Eve sourit à Niki.

— J'ai rencontré Travis dehors. Il s'est présenté et il m'a aussitôt offert de me porter mon sac. Il m'a dit que vous le connaissiez.

— Bien sûr que oui ! Comment vas-tu, Travis ? demanda Niki, en souriant à son tour.

— Très bien. Dani m'a demandé de passer voir ta grand-mère. Il paraît qu'elle doit me remettre un paquet pour elle.

— Qui est Dani ? intervint Eve, l'œil brillant de curiosité.

— Ma belle-fille, expliqua Travis. Elle a épousé mon fils Jack. Et elle est la sœur de Niki. L'une des triplées...

— Des triplées ? répéta Eve, incrédule. Vous voulez dire qu'il y en a deux autres comme vous ?

Elle semblait enchantée à cette idée.

— Nous sommes triplées, mais nous ne nous ressemblons pas comme trois gouttes d'eau, si c'est ce que vous voulez savoir, répondit Niki en riant.

La bouche d'Eve s'arrondit en un « o » parfait.

— Oh, je vois... Après tout, le mieux est l'ennemi du bien. Et j'ai déjà de la chance d'avoir trouvé une candidate idéale, alors trois...

— Eve, à ce propos, je dois vous dire que...

— Eve ? Bon sang, mais qu'est-ce que tu fais ici ? lança Clay, qui venait d'apercevoir les deux femmes et Travis en pénétrant dans le hall d'entrée.

Il semblait encore plus surpris que ne l'avait été Niki.

— Eh bien, je suis venue voir notre...

— Bonjour tout le monde !

La voix gaie et dynamique de Tilly résonna dans la pièce au moment où elle sortait de la salle à manger pour traverser l'entrée.

Tandis que Travis se chargeait de faire les présentations, Niki observa Clay à la dérobée. Il contemplait Eve avec stupéfaction, comme s'il ne parvenait pas à croire qu'elle était bien là, en chair et en os.

Ou comme si la présence de son employeur le bouleversait parce qu'il avait quelque chose à lui cacher, se dit Niki en se détournant.

— Madame Hubbard, je vais vous montrer votre chambre, commença-t-elle en levant les yeux vers Eve.

Celle-ci passa aussitôt son bras long et mince sous celui de Travis, avec l'air de le connaître depuis toujours.

— Votre adorable grand-mère m'a invitée à boire une tasse de thé, et j'accepte avec joie. Vous venez aussi, Travis ?

— Bien sûr. J'adore le thé, affirma Travis, l'air enchanté.

Ce fut au tour de Niki d'être sous le choc. Quand il venait chez les Mitchell, Travis ne buvait jamais autre chose qu'une bière ou un whisky, et se moquait ouvertement de ceux qui prenaient du thé glacé ou du soda.

Tilly hocha la tête, le sourire approbateur.

— Alors, venez, tous les deux. Clay, vous êtes de la partie ? Et toi, Niki chérie ?

Le jeune homme lança un coup d'œil à Niki, en attendant visiblement sa réponse.

— Non, répliqua Niki. J'ai du travail.

— Je peux t'aider ? intervint aussitôt Clay.

— C'est gentil, mais non merci.

Elle lui tourna le dos tandis que Tilly, Travis et Eve se dirigeaient vers la salle à manger en bavardant gaiement.

— Niki ! lança Clay, juste derrière elle.

La jeune femme se retourna, un sourire poli aux lèvres.

— Oui ?

— Je t'en prie, ne me traite pas comme cela. Je ne savais pas qu'Eve avait décidé de venir, je te le promets.

— Je te crois.

— Alors pourquoi es-tu d'aussi mauvaise humeur ? Qu'est-ce que tu me reproches ?

— Voyons... Un certain message que tu aurais laissé sur le répondeur d'Eve ce matin, peut-être ? Une phrase du genre « La situation s'est améliorée d'un coup »... Tu pensais sans doute que j'avais changé d'avis sur le concours, après cette nuit, n'est-ce pas ? Eh bien, tu fais erreur ! Je n'y mettrai pas les pieds.

— Pourquoi penses-tu que ce message concernait ta participation au concours ? demanda Clay, en fronçant les sourcils.

— Parce que c'est Eve elle-même qui l'a interprété ainsi, rétorqua Niki, l'œil étincelant de colère.

Clay haussa les épaules.

— Eve a tendance à interpréter tout ce qu'on dit. En fait, ce message devait lui indiquer que...

— Je m'en fiche ! explosa Niki. Je sais tout ce que j'ai besoin de savoir. Et maintenant, si tu veux bien m'excuser, je te laisse car j'ai du travail.

Le dos bien droit et la tête bien haute, elle sortit de la pièce et se dirigea vers l'escalier. Mais une fois dans sa chambre, elle s'adossa à la porte qu'elle avait pris soin de claquer et se mit à sangloter sans bruit.

Il fallut plus d'une demi-heure à Niki pour sécher ses larmes et reprendre contenance. Quand elle alla rejoindre sa grand-mère dans la salle à manger, Travis et Eve étaient encore là. Clay, en revanche, avait disparu.

— Veux-tu que je prépare le déjeuner, Granny ? demanda-t-elle en arborant son air le plus dégagé.

— C'est inutile, chérie. Sheila l'a fait, il n'y a plus qu'à glisser le plat dans le four.

Tilly se tourna aimablement vers Eve.

— Figurez-vous que ce soir nous organisons un barbecue géant, et on pourra danser ensuite. J'espère que vous serez des nôtres.

— Avec joie, répondit Eve, qui lança un coup d'œil à son voisin avant d'ajouter : Vous viendrez aussi, n'est-ce pas, Travis ?

Sachant que Travis ne sortait guère et ne dansait jamais, Niki décida de voler à son secours.

— Travis possède un ranch, lui aussi, et il a beaucoup à faire.

— Bah !

D'un geste de sa main fine et parfaitement manucurée, Eve balaya le ranch de Travis, qui était tout de même le plus grand de la région.

— Vous viendrez, juste pour me faire plaisir, roucoula-t-elle en s'adressant à son chevalier servant.

— Pour vous faire plaisir, répéta Travis, apparemment envoûté par la nouvelle venue. Bien sûr que je viendrai.

— C'est parfait.

Eve se leva, l'air enchanté.

— Je crois qu'il est temps que j'aille m'installer. Si vous voulez bien me montrer ma chambre, Niki, je suis prête à vous suivre.

Avant de franchir le seuil de la porte, Eve se retourna, l'œil velouté.

— A ce soir, Travis, murmura-t-elle d'une voix de gorge.

Malgré ses problèmes, Niki ne put s'empêcher de sourire. Elle était impatiente de raconter la scène à Dani !

La soirée s'annonçait bien. Le coucher de soleil était magnifique, la nourriture, pléthorique, les hôtes, enthousiastes, et la musique, entraînante. Pourtant, Niki n'avait pas le cœur à s'amuser ce soir, à la différence du couple qui évoluait avec entrain devant ses yeux.

Elle n'avait jamais vu deux personnes se plaire aussi vite et flirter sans aucun complexe ni fausse pudeur.

— Eve et Travis semblent faits l'un pour l'autre, murmura une voix à son oreille.

Niki sursauta. Pourtant, elle avait — presque — pris l'habitude des commentaires intempestifs de Clay. Si elle se laissait encore surprendre par ses deux sales manies, l'une de se faufiler derrière elle sans qu'elle s'en aperçoive, l'autre de lire dans ses pensées, elle n'en était plus agacée. Elle se contenta donc de baisser la tête et de saisir des couverts en plastique pour tourner et mêler les ingrédients qui se trouvaient dans l'immense saladier posé devant elle. C'était pourtant vrai qu'ils formaient un très beau couple, Eve et Travis. Lui, le superbe cow-boy d'âge mûr, et elle, la femme élégante en tailleur-pantalon de lin blanc, blonde et sophistiquée à souhait. Un couple dont la relation était vouée à l'impasse, se dit Niki. Comme celle qu'elle avait nouée avec Clay.

— Tu m'as évité toute la soirée, dit ce dernier, un brin de reproche dans la voix.

— Tu sais pourquoi.

Il la dévisagea, un peu surpris.

— A cause de ce stupide message que j'ai laissé sur le répondeur d'Eve?

— Entre autres, répondit Niki en lui tournant le dos.

Il la prit aux épaules.

— Il faut que nous parlions, Niki.

— Non, c'est inutile. Nous savons quel est le problème, et nous savons aussi que nous ne serons jamais d'accord, toi et moi. Alors à quoi bon discuter?

— Nous pourrions arriver à un compromis, suggéra-t-il.

Il lança un coup d'œil agacé autour de lui.

— On pourrait aller dans un endroit tranquille, ou du moins un peu plus intime, pour...

— Je ne veux plus aucune intimité avec toi, trancha la jeune femme. Excuse-moi, mais la salade est prête et je vais servir nos hôtes.

Elle s'éloigna de lui sans se retourner et se fraya un chemin à travers la foule, en souriant machinalement à tous ceux qu'elle croisait et en portant son saladier devant elle comme s'il s'agissait d'un bouclier.

Grands dieux, ils avaient tous l'air de bien s'amuser, songea-t-elle, le cœur serré. Les uns dansaient, les autres mangeaient, mais ils chantaient de bon cœur et riaient aux éclats dès que l'occasion s'en présentait. Tilly, qui avait troqué son jean fané et sa grande chemise à carreaux contre un

pantalon large en coton noir et une chemisette blanche, semblait même sourire à Dobe Whittaker, qui avait taillé sa
moustache pour l'occasion et la regardait avec des yeux de
cocker ému.

La musique se fit plus douce, les couples s'enlacèrent
pour danser un slow, Eve posa sa tête sur l'épaule de Travis,
et Niki se sentit tout à coup très seule. Plus seule qu'elle ne
l'avait jamais été. La faute en revenait à Clay Russell,
songea-t-elle en poussant un profond soupir.

Un soupir qui n'échappa pas à Dylan, qui passait justement près d'elle.

— Ça n'a pas l'air d'aller très fort, Niki. Qu'est-ce qui se
passe ?

— Oh, rien... Juste un peu de fatigue, murmura-t-elle, en
s'empressant de sourire pour lui donner le change.

Mais le sourire n'allait pas jusqu'à ses yeux.

— Viens, on va danser, lui proposa le jeune cow-boy, en
lui tendant la main. Je parie que ça te changera les idées !

Elle s'apprêtait à refuser quand elle aperçut du coin de
l'œil Clay qui se frayait un chemin vers elle.

— D'accord, dit-elle avant de le suivre sur la piste de
danse. Mais tu as intérêt à tenir ton pari, cow-boy !

La soirée s'était achevée en beauté. Les bougies avaient
été soufflées et les lanternes éteintes. Les musiciens avaient
rangé leurs harmonicas, et les hôtes étaient rentrés dans leurs
bungalows... La lune décroissante jetait une clarté blafarde
sur la piste désertée. Clay avait disparu on ne sait où, et Niki
en était soulagée. Elle avait passé une soirée épuisante à
l'éviter, lui et ses protestations d'innocence. Elle ne croirait
pas un mot de ce qu'il lui dirait, désormais. Alors, à quoi
bon l'écouter ?

Avec un soupir, elle débarrassa les derniers couverts et
ferma les yeux. Dans la cuisine, dont la porte était demeurée
grande ouverte, elle entendait le tintement des plats que
Granny rangeait dans le lave-vaisselle. Au loin, un veau
meugla doucement et sa mère lui répondit. La nuit serait

douce, songea Niki. Pourquoi avait-il fallu qu'elle se laisse aller dans les bras de Clay ? Etait-ce seulement la nuit dernière qu'elle avait partagé avec lui la plus belle des relations physiques ? Le sexe était vraiment un lien étrange... Pourquoi Clay l'attirait-il autant ? Il était beau, mais d'autres hommes tout aussi séduisants l'avaient courtisée sans l'émouvoir. Il avait du charme, du magnétisme, de l'esprit... Et alors ?

Clay Russell demeurerait une bien mystérieuse expérience, pour elle. Mais dans quelques semaines, quelques mois peut-être, il ne serait qu'un souvenir parmi d'autres, puis elle l'oublierait. Elle grinça des dents. Comment pouvait-elle essayer de se duper ainsi elle-même ? se demandat-elle, en rouvrant les yeux.

Elle cligna les paupières en apercevant les visages de Travis et d'Eve qui la fixaient avec surprise.

— Tu as remis les pieds sur terre, Niki ? demanda Travis, amusé.

— Excusez-moi, murmura-t-elle avec un petit sourire embarrassé. Que puis-je faire pour vous ?

— Me donner la clé de la maison, intervint Eve.

— La clé ? Mais pourquoi ?

Eve se mit à rire.

— Pour ne pas avoir l'impression d'être dans un dortoir de pension ! Je n'ai pas envie de réveiller quelqu'un pour m'ouvrir la porte au milieu de la nuit, ni d'avoir à justifier mes allées et venues nocturnes, ma chère. Or, j'ai l'intention d'aller chez Travis. Il m'a invitée à voir sa collection d'estampes japonaises.

Travis poussa une exclamation de surprise, ce qui fit rire Eve de plus belle.

— Ce n'est pas la formule que l'on utilise de nos jours ? demanda-t-elle, l'air des plus innocents. En fait, ma chère Niki, si vous voulez savoir toute la vérité, j'ai très envie de passer quelques heures d'intimité avec ce beau cow-boy, et j'ai donc besoin d'une clé pour pouvoir rentrer au ranch après le couvre-feu.

Interloquée par le franc-parler d'Eve, Niki concentra son

attention sur Travis qui, lui, avait l'air horriblement gêné. Mais il n'émit pas la moindre protestation, observa Niki avec amusement.

— Prenez la clé qui se trouve sur la console dans l'entrée, dit-elle simplement. Et amusez-vous bien, ajouta-t-elle avec un sourire complice.

Eve lui fit un clin d'œil et passa gaiement son bras sous celui de Travis.

— C'est ce que nous allons faire, affirma-t-elle. Bonne nuit, Niki.

La jeune femme regarda le couple se diriger vers la maison, pour y disparaître. Elle aspira une longue bouffée d'air et s'assit sur l'un des bancs rustiques de bois qui étaient disposés autour de la piscine et du barbecue. Le visage levé vers le ciel d'encre, elle contempla un long moment les étoiles qui s'y étaient allumées. Un formidable sentiment de solitude et de désolation l'envahit, et elle frissonna malgré la tiédeur de la nuit.

Oui, c'était la faute de Clay, se répéta-t-elle. Elle ne s'était jamais sentie aussi seule dans la vie. Mais depuis son arrivée au ranch, il lui avait fait miroiter des choses qu'elle avait écartées de son existence depuis longtemps. Des choses comme une présence masculine à ses côtés, un torse solide sur lequel appuyer son front en cas de déprime, des relations sexuelles éblouissantes, et le bonheur extraordinaire de partager. Etaient-ce les ingrédients de l'amour ? Ou bien était-elle simplement affectée par les mariages successifs de ses deux sœurs et l'air heureux qu'elles arboraient en permanence ?

Clay était apparu dans sa vie au moment où elle se trouvait le plus vulnérable, décida-t-elle. Maintenant qu'elle savait le danger qu'il représentait pour elle, il ne la ferait plus tomber dans le piège de ses bras virils. Plus jamais, se promit-elle, tout en lançant un regard mélancolique à la jeep de Travis qui s'éloignait, emportant Eve pour la nuit.

**

— Niki ? Niki, je t'en prie, laisse-moi entrer.

Clay renforça sa supplique en frappant un coup léger sur la porte de la chambre de la jeune femme.

Celle-ci allait se glisser entre les draps. Elle s'immobilisa au pied de son lit, le regard fixé sur la porte, imaginant sans peine son amant de la veille... Instinctivement, elle tira sur le T-shirt qui lui servait de chemise de nuit.

Il n'était pas question qu'elle lui ouvre, bien sûr.

— Niki ! Je sais que tu es là. Je ne partirai pas avant de t'avoir vue, insista Clay.

Il avait beau parler à mi-voix, Granny finirait par l'entendre car sa chambre était proche de la sienne, se dit Niki, embarrassée. Elle marcha vers la porte et pressa son front contre le bois.

— Tais-toi, Clay. Et va-t'en tout de suite. Tu vas finir par réveiller Granny !

— Ce sera ta faute, gronda le jeune homme.

Il attendit quelques secondes. Comme Niki ne lui ouvrait pas, il frappa de nouveau, mais un peu plus fort, cette fois.

— Laisse-moi entrer, ou bien je vais faire un tel raffut que...

La porte s'ouvrit si brusquement qu'il faillit tomber en avant.

— Dépêche-toi de me dire ce que tu as à me dire et, ensuite, j'espère que tu vas me laisser tranquille, grommela-t-elle. Je suis fatiguée et j'ai besoin de dormir.

— Je ne peux pas te parler dans le couloir, protesta Clay.

Comme Niki le fixait en lui barrant le passage, les sourcils froncés et les bras croisés, il la prit sous les aisselles, la souleva et la reposa un peu plus loin. Puis il referma soigneusement la porte derrière lui.

Il ne portait qu'un jean et rien d'autre. Sur son torse nu, les cicatrices formaient des lignes brisées un peu partout, surtout dans la région des côtes. Niki se mordit la lèvre en songeant à ce que lui avait expliqué Eve à propos des accidents trop nombreux de Clay, qui lui interdisaient tout retour dans le circuit des rodéos.

Elle prit soudain conscience qu'il la regardait, lui aussi, mais d'une façon beaucoup plus sensuelle. Elle recula aussitôt, les bras toujours croisés sur ses seins.

— Alors ? Qu'as-tu à me dire de si urgent ?

— Je... Je tiens à te présenter mes excuses.

— Pour quoi ?

— Pour tout. Enfin, pour tout ce que tu veux...

Il s'avança vers elle, les mains ouvertes, le regard implorant.

— Tu ne sais même pas pourquoi tu t'excuses, grommela-t-elle en grinçant des dents de frustration. Eh bien, je vais te rafraîchir la mémoire ! Je t'avais prévenu que je ne serai pas candidate, et tu as tenté de me manipuler en me séduisant... Et ensuite, tu t'es précipité sur ton téléphone pour avertir Eve que la situation s'améliorait !

— Je n'ai pas cherché à te manipuler, Niki.

Il saisit la main de la jeune femme entre les siennes et elle n'eut même pas le réflexe de la retirer. Clay était trop près d'elle pour qu'elle garde son bon sens.

— Niki, dit-il avec sérieux. Quand j'ai appelé Eve, j'étais au septième ciel. Je venais de passer la nuit la plus fantastique de mon existence avec une femme qui n'avait cessé de m'intriguer depuis que je l'avais rencontrée. De mon point de vue, la situation était nettement meilleure... Mais c'était à ma relation avec toi que je faisais allusion.

Elle se raidit.

— Jure-moi que tu as abandonné tout espoir de me voir participer à cet absurde concours.

Il se tut un long moment. Quand il parla, il avait l'air presque triste.

— Je ne peux pas, Niki. Je ne peux pas m'empêcher d'espérer que tu changeras d'avis. J'ai envie de passer l'année qui vient avec toi, et non avec un apprenti mannequin ou une graine de star quelconque. Je veux que l'on apprenne à se connaître, toi et moi.

Il la regarda droit dans les yeux avant d'ajouter, sans sourire :

— Si tu trouves cela illégal, tu peux toujours me faire un procès.

— Oh, Clay...

Quand il entendit l'exclamation s'échapper des lèvres de

Niki, il fit un pas et la prit dans ses bras. Elle ne lui résista pas, pour la bonne raison qu'elle en était incapable. Cet homme avait un je-ne-sais-quoi qui la faisait craquer, fondre et se dissoudre... Elle leva simplement la tête pour accueillir son baiser.

Désormais, elle connaissait la sensation enivrante d'être aimée par Clay Russell. Elle n'eut pas le temps de se demander si l'amour de Clay pouvait dépasser la dimension physique, car ses lèvres se plaquèrent sur les siennes, sa langue explora sa bouche, et elle fut prise dans un vertige qui bloqua les rouages de son cerveau. En un éclair, Clay avait su réanimer l'incendie qu'il avait propagé dans toutes les cellules de son corps la nuit précédente. Il l'avait comblée et pourtant elle avait faim et soif de lui, avec une avidité qui la surprit.

Comme la veille, il lui retira son T-shirt d'un geste rapide.

— Comme tu es belle, murmura-t-il en s'écartant pour mieux la contempler. Tout s'est passé si vite, la nuit dernière, que je n'ai pas eu le temps de te regarder vraiment.

Ces mots-là, elle les avait déjà entendus des dizaines de fois. Mais dans la bouche de Clay, ils résonnaient autrement. Et la lueur d'admiration qui brillait dans son regard lui plaisait infiniment. Elle éprouva pourtant le besoin de se rassurer.

— Dis-moi, Clay... Si tu n'aimais pas ce que tu as devant les yeux, est-ce que tu partirais ?

Il haussa les sourcils, stupéfait.

— Partir ? Mais pourquoi ?

— Parce que j'en ai assez d'entendre le même refrain ! J'ai l'impression d'être admirée et aimée pour mon physique, point final. Pour mes seins qui sont ronds, fermes et haut placés, pour ma taille fine et mes jambes incroyablement longues... Est-ce que cela suffit pour séduire un homme ?

Il rit doucement.

— Non, mais c'est un bon début, crois-moi ! Je ne voulais pas t'énerver en t'admirant, Niki. Pour rendre la partie égale, je te permets de m'admirer à ton tour.

En trois secondes, il ôta son jean et lui fit face, vêtu de son seul sourire.

— Prends-moi, lui dit-il, en lui ouvrant les bras. Je suis à toi, corps et âme.

Il n'eut pas besoin de réitérer son offre. Enchanté, il vit Niki réagir au quart de tour. Elle le prit aux épaules, le propulsa vers son lit et se coula sur lui. Ses mains virevoltèrent sur sa peau nue, ses lèvres y tracèrent des arabesques enflammées. Elle ne lui laissa aucun répit, ne lui accorda aucune trêve, jusqu'à ce qu'il soupire, gémisse et tremble sous cet assaut sensuel. Alors, et alors seulement, elle le guida en elle. Quand elle le sentit vibrer au plus profond de sa chair, elle se mit à bouger lentement, savourant la vision de son amant qui se consumait à petit feu sous elle. Les yeux clos, elle se dressa, se cambra, se cabra, prise dans une folle chevauchée qui la mena à une jouissance comme elle n'en avait encore jamais connue. Son cri fut repris par Clay, dont les doigts s'enfoncèrent dans ses hanches rondes. Les yeux dans les yeux, ils s'immobilisèrent un instant, hébétés par la puissance de leur extase. Puis Niki s'effondra sur le torse de son compagnon, les mèches emmêlées, le corps frémissant et baigné de sueur. Les bras solides de Clay se refermèrent sur elle en une étreinte possessive.

Leurs corps étaient encore mêlés lorsqu'ils entendirent la porte de la maison claquer. Niki voulut aussitôt se lever.

— Pas si vite, murmura Clay. On a tout le temps. Toute la nuit...

— Non. Eve vient de rentrer. Je ne veux pas qu'elle sache que nous sommes ensemble.

— Pourquoi ?

— Parce qu'elle n'est pas du genre discret. Demain, tout le monde serait au courant.

Clay soupira. Niki avait raison. Vu son caractère sans gêne, Eve risquait d'aller le voir dans sa chambre à toute heure du jour ou de la nuit pour discuter d'un projet. Il caressa une dernière fois le dos de la jeune femme, pour le plaisir de sentir frémir sa peau nue et tiède sous sa paume.

— Est-ce que je t'ai dit que tu étais...

— ... belle ? Une bonne douzaine de fois. Je ne veux plus l'entendre, marmonna-t-elle.

Il fronça les sourcils.

— Non. J'allais dire que tu étais... Oh, et puis, de toute façon, tu ne me croirais pas.

Il se redressa et s'assit au bord du lit. Devant son air dépité, elle s'adoucit.

— Essaie de me le dire quand même, suggéra-t-elle.

— Eh bien... Tu es géniale au lit. Ça te va, comme compliment ?

— Pas vraiment.

Il hocha la tête et se leva pour aller récupérer son jean au pied du lit.

— Je m'en doutais. Alors, tu es une femme géniale. C'est mieux ?

— Je préfère, acquiesça-t-elle.

Elle se sentait confuse. A quoi rimaient ces compliments ? Lequel des deux exprimait ce qu'il pensait vraiment ?

— Je peux encore te dire autre chose, reprit Clay. Tu es...

— Ça suffit comme cela, merci, intervint-elle vivement.

Elle remonta le drap jusqu'à ses épaules pour couvrir sa poitrine nue.

— Va-t'en, Clay.

— Tout de suite ? Mais Eve doit justement se trouver dans le couloir et...

— Je m'en fiche !

Il quitta la pièce sans dire un mot. Elle fixa la porte qu'il venait de refermer et regretta aussitôt son départ. Elle était à bout de nerfs, pensa-t-elle. Elle ne savait plus du tout ce qu'elle voulait.

Allongée de nouveau, la tête sur l'oreiller, les yeux au plafond, elle soupira. Pour une fois dans sa vie, elle aurait voulu qu'un homme lui dise qu'il ne la trouvait pas belle, mais intelligente. Mais l'intelligence, c'était l'attribut de Dani. Ou bien gentille, mais la gentillesse, c'était la caractéristique de Toni. Toute sa vie, Niki avait entendu les hommes la complimenter sur sa beauté, et Clay était le pire de tous. Parce qu'il était le seul à avoir réussi à la séduire.

130

Grands dieux, elle était tombée amoureuse de lui ! Cette prise de conscience, au lieu de la réjouir, lui sembla une vraie calamité.

Torse nu, les cheveux en broussaille, Clay tenta de se faufiler en catimini dans sa chambre... et faillit heurter Eve qui arrivait en sens inverse. Elle le contempla fixement, de cet air légèrement ironique qui n'appartenait qu'à elle et qui avait le don de l'agacer prodigieusement. Avant qu'elle puisse prononcer un mot, il lui fit signe de se taire et lui désigna le palier du doigt. Si Eve voulait lui faire une remarque, il ne souhaitait pas que Niki entende le bruit le leurs voix.

Mais Eve ouvrit la porte de sa chambre, le poussa à l'intérieur, et la referma derrière eux.

— Eh bien... Je savais que tu étais loyal envers ma société, Clay, et que tu voulais réussir ta mission. Mais de là à...

— Ne te mêle pas de ma vie privée, Eve.

Il ne supporterait pas de l'entendre se moquer de sa relation avec Niki.

— D'ordinaire, tu n'es pas si susceptible, Clay.

Ils avaient déjà plaisanté ensemble sur la façon dont le jeune homme enchaînait les aventures. Mais pour lui, il s'agissait d'une autre époque, d'une autre vie. Il se rendit compte tout à coup qu'il avait changé, et que sa relation avec Niki lui devenait un peu plus précieuse chaque jour.

— Tu peux penser ce que tu veux, mais si tu crois que j'essaie de manipuler Niki pour qu'elle accepte de prendre part à ton concours, tu te trompes. Je sais encore faire la différence entre ma vie privée et ma vie professionnelle. Alors oublies que tu m'as vu ce soir !

Il sortit de la pièce, sous le regard stupéfait d'Eve.

Une fois dans sa chambre, Clay se sentit à la fois désarmé et stupide. Désarmé parce qu'il savait que ce qu'il éprouvait pour Niki était sérieux, et qu'il n'avait pas l'habitude de se sentir aussi vulnérable devant une femme. Stupide parce que, entre ses bras, il oubliait l'ambiguïté de sa situation professionnelle et tous les problèmes que cela risquait de lui poser.

9.

Eve Hubbard savait jouer les vedettes. Quand Niki prit sa place à table, ce matin-là, pour le petit déjeuner, les hôtes étaient suspendus aux lèvres rouge cerise de la célèbre styliste.

— Vous comprenez, disait-elle, je dessine des vêtements que j'adore mais que je ne pourrai jamais porter. C'est pour cela que je recrute de ravissantes jeunes femmes pour jouer les mannequins à ma place et représenter ma marque.

Elle se tourna vers Niki, qui tentait de se faire toute petite dans son coin.

— Regardez Niki, par exemple. N'est-elle pas la personne rêvée pour incarner Hubbard Grand Ouest ? Ne recueillerait-elle pas tous les suffrages si elle se présentait comme candidate à l'élection de la reine des cow-boys ?

Un tonnerre d'applaudissements salua cette déclaration. Eve hocha la tête en souriant. Elle avait eu l'effet qu'elle escomptait : mettre la pression sur Niki.

Il manquait un hôte autour de la table, ce matin-là : Clay, qui semblait avoir disparu dans la nature. Un peu inquiète, Niki alla faire un tour du côté du corral et l'aperçut en train de préparer les chevaux pour la randonnée quotidienne, qu'il avait pris l'habitude de conduire depuis qu'il logeait au ranch. Elle s'éloigna en prenant soin de ne pas se faire voir et retourna à ses occupations.

Elle était en train de ranger la salle à manger quand Eve pénétra dans la pièce, son sac de voyage à la main. Impeccablement coiffée et maquillée, elle portait un tailleur-pantalon de soie turquoise, dont la veste était ornée d'une broche en argent de forme géométrique qui ajoutait une touche d'élégance et de modernité à sa tenue. Bref, elle aurait été parfaite si elle n'avait pas froncé les sourcils, se dit Niki en la voyant s'avancer vers elle.

— Avez-vous eu des nouvelles de Travis Burke? demanda Eve.

— Non. Pourquoi?

Les sourcils blonds d'Eve se froncèrent un peu plus, jusqu'à former un pli disgracieux.

— Il devait m'appeler. En tout cas, c'est ce que j'avais compris.

Elle pinça les lèvres avant d'ajouter :

— Je dois retourner à Dallas, Niki.

— Maintenant?

A l'idée du départ d'Eve, la jeune femme se sentait à la fois soulagée et déçue. Dans un sens, avec ses façons de faire citadines et sophistiquées, elle apportait une touche d'excentricité à la vie du ranch.

— J'ai des obligations professionnelles, déclara Eve à contrecœur. Mais avant de partir, je voudrais faire une dernière tentative pour vous convaincre, Niki.

— C'est inutile. Désolée...

— Même si je vous le demandais comme une faveur? insista Eve, l'œil brillant d'espoir. Si je vous demandais de le faire pour moi, au nom de notre amitié...

Niki réprima un éclat de rire. Eve avait du toupet, on ne pouvait le nier.

— Mais nous ne sommes même pas amies! s'exclama la jeune femme. Je vous connais à peine. Pourquoi le ferai-je pour vous alors que je ne le fais ni pour ma grand-mère, ni pour mes sœurs? Ni pour la réputation de la ville?

Eve hocha la tête, le regard terni, le sourire en berne.

— J'aurais tout essayé, marmonna-t-elle.

Juste avant de sortir, elle lança par-dessus son épaule :

— Ne pensez surtout pas que j'ai dit mon dernier mot, Niki!

— J'espère bien que si, rétorqua celle-ci, en la raccompagnant machinalement jusqu'au porche.

Le cœur de Niki s'affola quand elle aperçut la silhouette de Clay tout près du coupé sport dans lequel Eve était arrivée.

— Au revoir, Niki... Car je suis sûre que nous allons nous revoir très bientôt, dit Eve avec un clin d'œil, en agitant la main.

« Pas avant que ce maudit concours soit terminé », songea Niki.

— Peut-être, dit-elle poliment. Je vous souhaite un bon retour à Dallas.

Quand elle referma la porte derrière elle, elle se dit qu'elle aurait préféré garder Eve au ranch et envoyer Clay sur les routes. Même si son cœur lui soufflait le contraire.

Eve ferma le coffre, dans lequel elle avait posé son sac de voyage, avec un claquement sec, et se tourna vers Clay.

— Si tu as quelque chose à me dire, c'est le moment.

— Je suis juste venu te dire au revoir, grommela Clay.

— Alors, au revoir, articula Eve. Si c'est tout...

Elle ouvrit sa portière.

— Non, ce n'est pas tout ! gronda Clay d'un ton frustré. Je ne me suis pas très bien conduit, hier soir.

— C'est vrai, admit Eve.

— C'est à cause de ma relation avec Niki. J'estime qu'elle ne regarde personne d'autre que moi. C'est ma vie privée.

— Très bien. En revanche, nous pouvons parler de ta vie professionnelle, n'est-ce pas ? Eh bien, je vais te donner un choix, Clay, déclara Eve en posant le bout de son index tendu sur le torse du jeune homme. Soit tu parviens à persuader Niki d'être candidate, soit tu te retrouves à la rue. Et moi, j'abandonne ma nouvelle campagne publicitaire et je reprends une petite vieille à cheveux blancs pour être le porte-parole de ma marque !

Clay grinça des dents. Ce choix ne lui plaisait guère. La rue, il connaissait. Il y avait vécu de temps à autre, et il en avait gardé un sale souvenir.

— Ta réaction est exagérée, commença-t-il.

— Ça se passera exactement comme je te l'ai dit, crois-moi.

Le ton froid et métallique, d'Eve fit frissonner le jeune homme.

— Les affaires sont les affaires, poursuivit son employeur en jupons. Je t'aime bien, et j'aurais souhaité te garder plus longtemps dans ma société. Mais cela ne se fera que si Niki accepte de représenter ma marque à tes côtés et que j'axe ainsi ma campagne de publicité sur le thème des cow-boys et du rodéo.

— Mais il y a onze autres concurrentes, lui rappela Clay, un peu faiblement.

— Cite m'en une qui surpasse Niki !

Il ouvrit la bouche, hésita et se ravisa. Eve reprit la parole.

— Je ne me contente jamais d'un deuxième choix, Clay, tu devrais le savoir.

Elle se glissa derrière le volant, sur le siège de cuir crème, et regarda Clay droit dans les yeux.

— Bonne chance... Tu sais ce que j'attends de toi. Il ne te reste plus qu'une petite semaine pour m'apporter Niki sur un plateau d'argent. Sinon...

Elle claqua la portière sans terminer sa phrase. La menace contenue dans son regard acéré était suffisante.

Le moteur ronronnait déjà et Clay allait tourner les talons quand elle baissa la vitre et lança d'un ton rageur :

— Si tu vois ce salopard de Burke, tu peux lui dire de ma part...

Les mots furent heureusement couverts par le rugissement du moteur et le crissement des pneus sur le gravier de l'allée, mais Clay les devinait sans peine. Ce qu'il ignorait, en revanche, c'était pourquoi sa future ex-employeur se trouvait dans un tel état.

Il le comprit un quart d'heure plus tard en voyant Travis débarquer au ranch au grand galop. Le vieux cow-boy sauta à terre avant que son cheval, couvert de sueur, ne soit complètement à l'arrêt, puis il grimpa deux par deux les marches du perron et se précipita à l'intérieur de la maison. Il en ressortit une minute plus tard, les cheveux en broussaille et l'air passablement égaré.

— Où est-elle ? cria-t-il en apercevant Clay. Bon sang de bonsoir, je suis venu aussi vite que j'ai pu, mais j'ai l'impression qu'elle est déjà partie !

— Si vous parlez d'Eve Hubbard, c'est vrai. Vous l'avez manquée de peu.

— Que se passe-t-il, Travis ? lança Niki en sortant de la maison.

Les mains sur les hanches, elle se campa sous le porche et dévisagea le beau-père de sa sœur d'un air perplexe.

— Un horrible malentendu, gronda Travis. Elle a laissé un message avant de partir ?

— Eve m'a juste demandé si tu avais appelé, c'est tout, répliqua Niki en devinant sans peine que Travis parlait d'Eve Hubbard.

Travis étouffa un juron et regarda autour de lui comme s'il espérait qu'Eve lui avait fait une mauvaise plaisanterie et s'apprêtait à surgir d'un buisson en criant : « Coucou ! »

— Ma maudite jeep avait un pneu à plat et ma roue de secours est morte. On a beau entretenir une douzaine de véhicules au ranch, il n'y en avait pas un seul à l'horizon, ce matin !

Clay eut un sourire amusé.

— Alors vous avez sauté sur votre cheval...

— ... C'était ça, ou bien marcher, admit Travis d'un ton furieux.

— Dommage que tu n'aies pas téléphoné, elle t'aurait attendu, observa Niki.

Il lui lança un regard si frustré qu'elle regretta aussitôt sa remarque.

— Je peux vous donner le numéro de son portable, suggéra Clay.

Travis leva la tête, haussa les épaules et balaya l'air d'un geste de la main péremptoire.

— C'est inutile. Si elle est partie sans m'attendre, c'est

136

que je ne représente pas grand-chose pour elle. D'ailleurs, elle aurait pu venir me voir au ranch, au lieu de filer droit sur Dallas !

Il marcha vers son cheval en martelant le gravier de ses bottes.

— Qu'elle aille au diable ! Je retourne chez moi, clama-t-il, avant de se mettre en selle.

Il avait fière allure, les mains sur le pommeau, le chapeau vissé sur la tête et le regard bleu fixé sur l'horizon. Si Eve l'avait vu ainsi, elle se serait jetée à son cou, songea Niki.

Elle le regarda s'éloigner, puis tourna le dos et s'apprêta à rentrer dans la maison. Elle faillit se heurter à Clay qui, comme d'habitude, s'était faufilé près d'elle sans qu'elle y prenne garde.

— Le temps presse, Niki, murmura-t-il.

A quoi faisait-il allusion ? se demanda-t-elle, nerveuse. A leur relation ? Ou à son stupide concours ?

— Que veux-tu dire ?

— Que je commence à comprendre que je tourne en rond.

— A quel propos ?

— A propos du concours, bien sûr ! rétorqua-t-il avec agacement. Eve a organisé la finale chez elle, dans son ranch près de Dallas. Les candidates y sont attendues samedi prochain.

— Je leur souhaite bonne chance. Que la meilleure gagne ! lança ironiquement Niki avant de pénétrer dans la maison.

Clay lui emboîta le pas.

— Tu as encore le temps de changer d'avis, Niki, insista-t-il.

Comme elle lui tournait le dos sans même répondre, il la prit par le bras et l'obligea à lui faire face.

— Je crois que j'ai appris à te connaître un tout petit peu, ces dernières semaines. Mais je n'arrive pas à comprendre pourquoi tu refuses à tout prix de participer à ce concours ! C'est de l'entêtement pur et simple !

Elle soutint son regard en grinçant des dents. La colère était sa seule défense.

— Non, ce n'est pas si simple, grommela-t-elle.

— Ah, bon? Alors explique-moi... Car je sais que ce n'est pas la timidité qui te retient, tu as déjà été élue reine de beauté plusieurs fois. Et ce n'est pas non plus l'idée de passer un an en ma compagnie!

— Je n'ai pas à me justifier.

C'était vrai, mais il était trop énervé pour cesser de la harceler.

— Si ce n'est pas la timidité, si ce n'est pas moi... Qu'est-ce que c'est, alors?

Devant son silence, il écarquilla les yeux. Il venait de comprendre.

— Non... Ne me dis pas que c'est... parce que tu as peur des chevaux!

— Pas du tout, marmonna-t-elle.

Elle se dégagea. Il était trop surpris pour l'en empêcher. Comme il la regardait fixement, elle baissa la tête.

— Enfin... Peut-être un peu, admit-elle. Tu imagines le genre de problème que j'aurais, si j'étais reine des cow-boys et incapable de monter à cheval?

— Je peux t'apprendre, proposa-t-il. D'ici samedi, tu sauras...

— Je n'en ai aucune envie.

Elle marcha vers la cuisine, tête basse. Elle avait honte de sa peur des chevaux, mais elle l'éprouvait depuis si longtemps qu'elle était pétrifiée par la panique à l'idée de devoir y remédier.

— Je vais t'aider, affirma Clay en la rejoignant. Tu as eu un mauvais début, voilà tout. J'ai remarqué une gentille petite jument alezane qui devrait te convenir et...

— Non!

Elle allait piquer une crise de nerfs au beau milieu de la cuisine s'il ne la laissait pas tranquille.

— Ne m'en parle plus jamais, tu m'entends? siffla-t-elle entre ses dents.

— Mais...

— Si tu veux bien m'excuser, il faut que je file. Je dois être chez les Mitchell dans moins d'une heure, et je dois me changer avant.

Elle s'éclipsa sans attendre sa réponse. Il l'entendit grimper l'escalier à toute allure, comme si elle avait peur qu'il la poursuive. Clay était trop absorbé par ses réflexions pour la suivre. Il imaginait déjà Niki chevauchant la jument alezane. Ou mieux encore, un vieux cheval si bien dressé et si fatigué qu'elle pourrait le monter sans même tenir les rênes... Le seul problème, bien sûr, étant de la persuader de se mettre en selle.

Vu la situation — et le caractère de la jeune femme — il n'aurait pas d'autre choix que de la hisser de force sur sa monture, même s'il devait la ligoter et la bâillonner avant. A moins que...

Une idée surprenante venait de lui traverser le cerveau. Il secoua la tête. Non, ce serait trop risqué, se dit-il. Et pourtant...

Eve appela Clay le lendemain soir.

— Alors? demanda-t-elle, un peu anxieuse. Il y a un espoir?

— Aucun, répondit le jeune homme, en comprenant sans peine qu'elle faisait allusion à la candidature de Niki.

Il l'entendit soupirer à l'autre bout du fil. Puis elle reprit d'un ton neutre :

— Dans ce cas, je suis au regret de t'informer officiellement que, si Niki ne vient pas, ton contrat ne sera pas renouvelé, Clay.

Clay grinça des dents. D'un autre côté, il n'avait guère envie de passer l'an prochain chez Hubbard Grand Ouest aux côtés d'une poupée Barbie ou d'une autre graine de star.

Sur ce point, Eve et lui étaient d'accord : c'était Niki ou rien.

— Tu m'as bien comprise, Clay? demanda Eve, étonnée de son silence.

— Tout à fait.

— Et tu n'as rien à ajouter?

— Si. Figure-toi que si Niki ne change pas d'avis, cela m'affectera bien plus que toi, dit-il avec amertume.

— Eh bien, voilà une bonne motivation, mon cher Clay, répondit Eve d'un ton satisfait. Tu as raison : ma société survivra, nous n'aurons qu'à changer de thème pour notre prochaine campagne de publicité. Mais toi, tu risques de te retrouver sans travail... et sans le sou.

Et sans Niki, songea aussitôt Clay. C'était là où le bât blessait. Il lui était difficile — voire impossible — d'envisager la fin de leur relation. Même si la jeune femme avait verrouillé la porte de sa chambre à coucher ces derniers soirs. Même si elle mettait sa patience à rude épreuve, avec son fichu caractère. Même si...

— Mais parle, bon sang ! s'énerva Eve. Tu abandonnes ta mission, oui ou non ?

— Non !

— Parfait. Alors dis-lui que je suis prête à renégocier les termes du contrat. A la hausse, bien sûr.

— Si elle vient à la finale, ce ne sera pas pour de l'argent, Eve.

— Tu plaisantes ? Sinon, pourquoi viendrait-elle ? Ecoute, si elle veut autre chose, dis-lui que je suis d'accord de toute façon.

— Bien. Je le lui dirai, acquiesça Clay. Je te souhaite une bonne soirée et...

— Attends ! Est-ce que tu as vu Travis, depuis mon départ ?

— Juste une fois...

— S'il te demande mon numéro de téléphone, tu peux le lui donner, Clay, et celui de mon portable aussi.

Clay hésita. S'il disait à Eve que Travis n'en avait pas voulu, il allait la vexer.

— J'ai une meilleure idée, déclara-t-il. Je vais te donner le numéro de Travis, et c'est toi qui vas l'appeler.

— Moi ? Pas question !

Il y eut un déclic. Eve avait raccroché sans autre formalité. Clay reposa l'appareil et se frotta le menton. Décidément, les relations entre les sexes n'étaient guère faciles, au ranch du Bar-K.

**

— Venez vite... Viiite !

La voix surexcitée d'une fillette aux cheveux roux rompit le silence de la cuisine. Niki leva les yeux du plat qu'elle était en train de beurrer avant d'y déposer les ingrédients d'un futur gratin, et Tilly cessa de verser l'huile dans un saladier.

— Il y a un accident ?

— Non ! Mais il faut venir tout de suite ! Clay va nous montrer comment les Romains montaient à cheval ! Dobe a dit qu'il fallait surtout pas rater ça ! Venez vite !

Les cheveux roux virevoltèrent comme des flammèches autour du petit visage parsemé de taches de son et la fillette s'éclipsa aussi vite qu'elle était venue.

Tilly se tourna vers Niki, l'air inquiet.

— Oh, non... Tu crois vraiment que ce garçon va s'amuser à faire de la voltige sur nos chevaux ?

— Cela ne m'étonnerait pas, dit Niki.

De la part de Clay, rien ne l'étonnerait plus, désormais. Il passait son temps à la harceler pour le concours, et avait réussi à persuader tous les ouvriers et tous les hôtes du ranch à faire de même. La nuit dernière, Niki avait eu le plus grand mal à s'endormir. Les yeux au plafond, elle avait passé en revue tous les endroits où elle pourrait se réfugier jusqu'à ce que la reine des cow-boys soit élue. Elle s'était même demandé si elle n'allait pas tout simplement prendre sa voiture et rouler sans but, quitte à faire le tour du Texas, pour ne revenir que le lendemain de ce maudit concours.

Et maintenant, si Clay avait décidé de monter à la manière des Romains de l'Antiquité, debout sur deux chevaux à la fois, juste pour l'impressionner, elle n'y pouvait rien. Si. Elle pouvait au moins veiller à ce qu'il ait un bel enterrement.

Avec un soupir excédé, elle ôta son tablier, s'essuya les mains sur un torchon et sortit de la cuisine. Tilly l'avait précédée, l'air aussi excité que celui de la fillette rousse.

Il y avait foule autour du corral. Voyant qu'elle aurait du mal à se frayer un passage pour arriver jusqu'à la barrière, Niki décida de rester en arrière. Clay risquait gros, et elle n'avait pas envie de le voir tomber et se faire piétiner par les chevaux emballés. Elle avait vu son corps couvert de cicatrices. Cela ne lui suffisait donc pas ? Pourquoi les gens devenaient-ils fous au contact des chevaux ? Quel intérêt trouvaient-ils à ces animaux sauvages, stupides, incontrôlables, méchants...

Elle n'eut pas le temps de penser à d'autres qualificatifs. Un cri suraigu perça l'air.

— Le voilààà ! Regardez, il arriiive !

La voix de l'enfant aux cheveux de feu vrilla les tympans de Niki. Mais ce qui lui fit le plus d'effet, ce fut le martèlement sourd des sabots annonçant l'arrivée de Clay dans le corral. Elle n'y tint plus et joua des coudes pour s'approcher et voir le spectacle.

« Il est cinglé », se dit-elle en voyant Clay, debout, le pied gauche sur un cheval bai, l'autre sur un alezan, quatre rênes dans les mains, secoué comme un sac de pommes de terre tandis que les chevaux s'avançaient au trot sur le sable. Il était évident qu'il s'agissait d'une première pour eux, et, faute d'entraînement, ils ne trottaient pas à la même vitesse.

Très satisfait de lui-même, Clay adressa un sourire éblouissant à son public.

— Plus viiite ! hurla la fillette rousse.

Elle commençait à agacer Niki, qui eut envie de lui mettre la main sur la bouche pour la faire taire.

Clay n'avait pas besoin d'encouragement. Il lança les chevaux au galop. Niki écarquilla les yeux et oublia de respirer. Une fraction de seconde, elle crut voir la botte de Clay glisser... Mais il rétablit promptement son équilibre et fit le tour du corral sous un tonnerre d'applaudissements. Galvanisée, Niki grimpa sur la barrière pour mieux admirer le jeune homme. C'est vrai qu'il avait du style...

— Il est incroyable ! s'exclama Dylan, en grimpant à son tour pour s'asseoir près de la jeune femme. J'ai essayé pas mal de fois de faire comme lui, et je me suis retrouvé illico sur le sable !

— Il risque de s'y retrouver aussi, s'il continue à cette allure, marmonna Niki. Regarde l'alezan : il dévie de la trajectoire. Clay va faire le grand écart dans cinq secondes !

Clay, qui avait dû voir le danger, fut plus rapide. Il se laissa tomber à cheval sur le dos de l'alezan et relâcha les rênes du bai. Puis, pour le panache, il fit décrire un arc de cercle à sa monture, qui se cabra ensuite en battant l'air de ses antérieurs. Pendant ce temps, le bai continuait sa course autour du corral au petit galop. Devant le spectacle, les applaudissements redoublèrent. Enchanté, Clay fit de nouveau se cabrer l'alezan et ôta son chapeau pour saluer la foule. L'enthousiasme de ses admirateurs était à son comble.

Niki crut qu'il avait terminé son numéro. Elle était loin de se douter de la fin qu'il avait concoctée. Clay stimula sa monture à coups de talon et traversa le corral au grand galop. Horrifiée, Niki le vit s'approcher et crut qu'il allait sauter par-dessus la barrière. Avec une parfaite maîtrise, Clay arrêta net son cheval qui fit un tour sur lui-même en piaffant, juste devant Niki. Tétanisée, la jeune femme fixait l'animal en sueur, ses naseaux frémissants, ses yeux étincelants. Elle avait l'impression de replonger dans son pire cauchemar.

Brusquement, elle sentit un bras solide lui enserrer la taille.

— Lâche la barrière, Niki !

Instinctivement, elle obéit à l'ordre que venait de lui donner Clay. Elle fut soulevée dans les airs et se retrouva plaquée contre le torse du jeune homme et ballottée comme elle ne l'avait jamais été. Clay pressa de nouveau les flancs de sa monture et sortit du corral au petit galop. Quant à Niki, elle s'agrippa comme elle put au cavalier qui venait de l'enlever et ferma les yeux. Si elle survivait à cette épreuve épouvantable, elle tuerait Clay Russell de ses propres mains, se promit-elle.

Clay était si content qu'il souriait d'une oreille à l'autre. Sa mise en scène avait parfaitement réussi. Même le soleil était de la partie.

— C'est ce que l'on appelle une promenade romantique au coucher du soleil, glissa-t-il à l'oreille de Niki, en se penchant suffisamment pour sentir sur sa joue la soie de ses cheveux.

La jeune femme émit un son rauque, qui aurait pu s'apparenter à un gémissement, mais refusa de relever la tête. Les yeux obstinément clos, elle se cramponnait à la chemise de Clay comme s'il s'agissait d'une bouée de sauvetage.

Il était prêt à perdre sa chemise préférée si son scénario continuait à se dérouler comme il le souhaitait, songea Clay. Maintenant que Niki avait vu que l'on pouvait monter des chevaux debout, maintenant qu'elle s'était fait enlever par son héros comme Scarlet aurait pu l'être par Rhett Butler, et qu'ils chevauchaient tous deux en parfaite harmonie dans la chaude lumière du soleil couchant, elle allait raffoler de ces animaux... Ou du moins, ne plus en avoir peur, se dit-il, confiant.

Ravi de sa performance, il se mit à fredonner une vieille chanson de cow-boy. Il parvenait sans peine à diriger son cheval sur le petit chemin sinueux, pourtant il n'avait ni selle, ni étriers, et ce n'était pas Niki, qui se laissait ballotter comme une poupée de chiffon inerte, qui pouvait lui faciliter la tâche.

Au moins, elle ne se débattait pas. Elle ne poussait pas non plus de cris hystériques, comme une pauvre victime affolée. Elle appréciait sans doute cette promenade romantique autant que lui... Comment aurait-elle pu faire autrement ? Toute femme ne rêve-t-elle pas d'être conquise par un preux chevalier et de partir avec lui au grand galop sur sa monture ?

Voyant que l'alezan connaissait le chemin, Clay en profita pour s'occuper davantage de sa belle.

— Tout va bien, chérie... Détends-toi. Tu vois comme c'est facile ? En un rien de temps, tu sauras monter à cheval comme une pro.

La seule réaction de Niki à ces mots tendrement prononcés à son oreille fut de serrer encore davantage les pans de la chemise de Clay entre ses doigts crispés. Il la sentit se presser contre lui et son sourire s'accentua. Oh, Niki, songea-t-il avec émotion. Elle était si belle, si sensuelle...

— On peut s'arrêter ?

La voix rauque le fit frémir. Oui, même sa voix était sensuelle.

144

— Bien sûr.

Il ralentit l'allure et mit le cheval à l'arrêt.

— Ça va, chérie ? demanda-t-il, plein de sollicitude.

Comme elle ne répondait pas, il se contenta de la tenir bien serrée contre lui en regardant le soleil se laisser engloutir par la terre, à l'horizon. Que pouvait-il demander de plus à la vie ? Il était à cheval, le vent du soir lui caressait le visage, et il tenait entre ses bras la femme de ses rêves...

Il pourrait lui demander de l'épouser.

L'idée le fit tressaillir. Jamais il n'avait pensé au mariage auparavant, jamais il n'en avait parlé à une femme. Pourtant, des femmes il en avait connues... Mais aucune ne lui avait inspiré cette envie de prononcer des mots qui engagent, des mots qui font rimer « amour » et « toujours ». Oui, Niki pourrait être la compagne idéale. Elle avait si bien accepté sa petite mise en scène, se dit-il, la gorge nouée, le cœur gonflé d'une émotion intense. Un jour, ils évoqueraient ce souvenir ensemble, et elle le remercierait sans doute. Bien sûr, ils auraient été mariés depuis dix ou quinze ans et...

Niki leva enfin la tête et fixa Clay d'un regard étincelant, qui l'arracha d'un coup à ses rêves de bonheur éternel.

— Qu'y a-t-il, chérie ? J'étais justement en train de penser que...

— Je me fiche de ce que tu penses ! rugit-elle.

Comme une furie, elle le repoussa de toutes ses forces.

— Je te préviens, Clay. Je ne te pardonnerai jamais ce que tu viens de faire, aussi longtemps que je vivrai...

Sa phrase se termina en un cri d'effroi, car elle venait de tomber de cheval.

10.

Etourdie par sa chute, heureusement amortie par l'herbe épaisse et tendre, Niki fixa la silhouette de Clay, fièrement dressé sur sa monture, qui se découpait dans le soleil couchant. Puis, aveuglée par la lumière, elle entendit le bruit mat de ses bottes sur le sol, le piétinement des sabots du cheval qu'il devait attacher... Elle sentit ses mains sur sa tête, sa nuque, ses épaules tandis qu'il s'agenouillait près d'elle pour la palper fébrilement.

— Niki... Ça va? Tu n'as rien? demanda-t-il, la voix emplie d'inquiétude.

Quand elle put enfin reprendre son souffle et ses esprits, elle souleva les paupières et lui dévoila un regard très bleu — et furieux.

— Espèce de monstre! Ne me touche pas, tu m'entends? Elle le repoussa et roula sur le côté.

— Qu'est-ce qui s'est passé, chérie? Pourquoi as-tu sauté du cheval? Tu aurais pu te blesser!

— J'aurais pu être tuée, tu veux dire! rugit-elle, folle de rage. Tout ça par ta faute! Comment as-tu osé me jouer un tour pareil?

Il la regarda un instant, puis baissa la tête.

— Je trouvais que c'était romantique, avoua-t-il.

— Romantique! Mais tu es cinglé, ma parole!

Elle se redressa et se mit debout avec précaution. Elle n'avait rien de cassé.

— Tu sais très bien que je déteste les chevaux. Tu l'as fait exprès !

Il se balança sur ses talons, l'air gêné.

— Je... Je pensais que c'était juste un mauvais souvenir, et que, si tu remontais en toute sécurité, tu l'oublierais, dit-il à mi-voix. En fait, ce n'est pas normal de détester les chevaux. Je voulais te rendre service et...

— Me rendre service ! explosa-t-elle.

Elle s'approcha de lui en vacillant légèrement et pointa l'index sur le torse de Clay.

— Je déteste les chevaux, je les détesterai toute ma vie, et cela ne me gêne pas, compris ? C'est toi qui n'es pas normal !

— Ecoute-moi, Niki, plaida-t-il. Je vais tout t'expliquer.

La jeune femme recula d'un pas, s'appuya sur un tronc d'arbre et prit une longue inspiration. Ses forces lui revenaient peu à peu, mais elle se sentait encore sous le choc.

— Je t'écoute, murmura-t-elle avec un soupir résigné. Mais c'est la dernière fois.

Clay toussota.

— Eh bien, voilà... Je pensais que la vraie raison pour laquelle tu ne voulais pas participer à la finale du concours, c'était ta peur des chevaux. Et que si je t'aidais à surmonter cette peur, tu serais d'accord pour venir avec moi à Dallas.

— J'avais raison, tu es complètement fou, Clay. Je t'avais pourtant dit et répété que je ne voulais plus participer à un concours de beauté ! Tu crois que c'est agréable, pour une femme, de se balader en petite tenue et de se laisser évaluer comme une marchandise ? De plus, je pense qu'il faut être idiot pour acheter un produit parce qu'une reine de beauté ou une star en a vanté les mérites !

— Niki...

— Je sais, c'est toi qui fais la promotion des vêtements d'Eve Hubbard, et tu dois être vexé par ce que je viens de dire.

Elle s'interrompit pour reprendre son souffle et rejeter en arrière une mèche de cheveux qui lui tombait dans les yeux avant de reprendre avec une fureur renouvelée :

— Eh bien, tant pis ! Je m'en fiche, que tu sois vexé ou pas ! Après tout, ce n'est pas moi qui t'ai demandé de venir au ranch et de mettre ma vie sens dessus dessous ! C'est toi qui as décidé de t'introduire dans ma famille, et de...

— ... de m'introduire dans ton lit, c'est vrai, Niki. Et je ne le regrette pas, crois-moi, intervint Clay d'une voix douce.

La jeune femme leva les yeux au ciel en signe d'exaspération, puis revint à Clay.

— Si tu allais monter un de tes taureaux, pour changer ? Ou bien vendre les vêtements Hubbard Grand Ouest dans un magasin ? Ça t'empêcherait peut-être de me pourrir la vie !

— Niki, sois gentille, tais-toi trois minutes. Je voudrais te demander quelque chose. Malheureusement, je pense que ce n'est pas le bon moment, ajouta-t-il, l'air grave. Pourtant, je vais le faire, car ça me tient vraiment à cœur.

— La réponse est « non ».

— Mais je ne t'ai pas encore posé la question !

— Tu me prends pour une idiote ? Je sais très bien que tu vas me parler de ce maudit concours. C'est une obsession, chez toi.

— Mais...

— Je t'ai dit non. J'espère que tu vas me laisser tranquille, maintenant !

Elle s'éloigna en boitant légèrement, non sans faire un détour pour passer très loin du cheval alezan.

— Attends ! lança Clay. Je t'ai emmenée jusqu'ici. C'est à moi de te raccompagner au ranch !

— Sur ce monstre à quatre pattes ? Pas question !

Elle continua son chemin, tantôt boitant, tantôt sautillant. Elle entendit Clay se mettre en selle, puis le bruit des sabots étouffé par l'herbe. Soudain, elle sentit contre son épaule quelque chose de doux et de tiède. Elle fit volte-face et se retrouva nez à nez avec la tête du cheval. Ou plutôt, nez à naseaux, et les yeux dans les yeux. Niki recula d'un bon mètre, serra les poings et leva la tête pour fixer Clay d'un air mauvais.

— Il a essayé de me mordre, gronda-t-elle.

— Pas du tout. Il t'a juste flairée, c'est un signe d'amitié, chez les chevaux.

Comme s'il corroborait les paroles de Clay, le cheval hocha largement la tête et se mit à hennir. Niki recula de deux mètres, cette fois.

— Tu as intérêt à t'éloigner de moi, sinon j'appelle la police !

— Si tu appelles la police, tu seras la risée de la ville, Niki. Je te rappelle qu'on est au Texas, et que les chevaux font partie du paysage et de la vie quotidienne.

— Pas pour moi. Tu te souviens de la cicatrice que j'ai derrière le genou ?

— Oui. Et alors ?

— J'ai eu la jambe cassée. Ou plutôt brisée en mille morceaux par un étalon sauvage qui m'a piétinée et m'a laissée pour morte.

— Oh, Niki... Je suis désolé.

Elle ne l'entendit même pas, trop pressée de continuer. Maintenant qu'elle avait décidé de parler, les mots se bousculaient dans sa bouche, comme un flot que rien ne pourrait endiguer.

— Tu te rappelles que je t'ai dit qu'il existait une très forte ressemblance entre ma mère et moi ? Eh bien, elle a été tuée par ce cheval. Il s'est cabré, elle est tombée, mais son pied est resté coincé dans l'étrier. Il l'a traînée au triple galop sur des kilomètres. J'ai assisté à l'accident. J'ai tout vu et je n'avais que cinq ans. Je n'en ai pas parlé à mes sœurs. Je n'ai jamais pu, ajouta-t-elle tout bas.

— Mon Dieu, murmura-t-il, horrifié.

Elle baissa la tête, refusant de le voir ou d'entendre ses paroles de compassion.

— Va-t'en, Clay, dit-elle d'une voix enrouée. Nous n'avons plus rien à nous dire. Tu ferais mieux de rentrer chez toi maintenant, car rien au monde ne me fera remonter sur un cheval. J'espère que tu l'as bien compris, cette fois.

Quand elle se remit en chemin, il la regarda s'éloigner et s'abstint de la suivre. Elle ne saurait jamais ce qu'il aurait tant voulu lui avouer, songea-t-il. Quant à lui, il pouvait oublier que l'idée du mariage l'avait effleuré.

De retour au ranch, Clay se sentit plus mortifié qu'il ne l'avait jamais été. Sa stratégie s'était retournée contre lui, anéantissant tous ses projets, aussi bien professionnels que privés. Niki ne lui adresserait plus la parole avant longtemps. Etant donné la situation, ce n'était pas lui qui lui en ferait le reproche.

Il ne descendit pas dîner, car il n'avait pas le courage de parler ou de sourire. Mais après le repas, il décida d'aller voir Tilly. Il la trouva dans la cuisine, en train de ranger la vaisselle.

— Auriez-vous quelques instants à m'accorder, madame Collins ? demanda-t-il, l'air grave.

— Bien sûr.

Elle le dévisagea, la tête penchée, le regard à la fois doux et perspicace.

— Vous n'êtes pas venu dîner. Je peux vous faire un sandwich, si vous voulez, Clay.

— Non, merci. Je suis venu vous parler de...

— ... De Niki, acheva la vieille dame pour lui. Mon pauvre garçon, vous avez commis une lourde erreur en lui jouant ce tour, cet après-midi.

Il hocha la tête, plus déprimé que jamais.

— Je sais. Mais je pensais que...

Il soupira.

— Ce que je pense n'a plus d'importance, madame Collins.

— Bien sûr que si, Clay. Mais il faut donner à Niki le temps de se remettre de ses émotions. Vous ne savez pas ce qu'elle...

— Elle m'a tout expliqué.

Les yeux de Tilly s'élargirent.

— Vous voulez dire... qu'elle vous a parlé de sa mère ?

— Oui. Elle m'a aussi raconté ce que l'étalon sauvage lui avait fait, ajouta Clay, la gorge serrée.

Tilly hocha la tête.

— La pauvre petite... Pendant longtemps, nous avons cru qu'elle boiterait de façon permanente. Heureusement, ça a fini par s'arranger.

150

Clay se mordit la lèvre. Il se rappelait de Niki, s'éloignant en boitant sur le chemin. Comme elle avait des raisons de lui en vouloir !

— Jamais je n'aurais soupçonné qu'elle avait une telle peur des chevaux. Quand je l'ai enlevée, cet après-midi, j'espérais qu'elle me trouverait romantique.

— Vous êtes amoureux d'elle, n'est-ce pas ?

Ce n'était pas vraiment une question mais un constat, énoncé d'une voix paisible.

— Eh bien... Niki est une femme extraordinaire, murmura-t-il.

— C'est vrai.

— Mais je n'ai pas réussi à la persuader de participer au concours. Comment pourrai-je la persuader que je l'aime ?

— Vous n'avez pas encore trouvé le chemin de son cœur, Clay.

Une lueur d'espoir s'alluma dans le regard sombre du jeune homme.

— Vous pourriez me dire comment je dois faire ?

— Oh, non ! Je n'ai pas de conseil à vous donner.

Elle s'approcha et lui tapota gentiment l'épaule.

— Ne vous désolez pas, Clay. Il faut être patient, en amour. Parfois, le mieux est de s'éloigner, pour laisser à la personne que l'on aime assez de temps et d'espace pour réfléchir.

Ce soir-là, quand Clay aperçut Niki de l'autre côté du feu de camp autour duquel les hôtes du ranch avaient dîné, il se rappela les sages paroles de Tilly. Elle avait sans doute raison, songea-t-il. Même s'il n'en avait aucune envie, il devait s'éloigner et laisser Niki réfléchir tout à loisir.

Mais avant, il voulait lui dire un dernier mot.

Se frayant un chemin à travers la foule des invités, il parvint à l'endroit où se trouvait Niki et s'assit près d'elle sur le banc de bois. Il devina qu'elle se recroquevillait sur elle-même, à la fois physiquement et mentalement, dès qu'elle sentit sa présence.

Il attendit quelques instants avant de lui parler.

— Je suis vraiment désolé, Niki.

151

— Vraiment ? répondit-elle d'une voix glaciale.

— Oui. Je regrette infiniment de t'avoir fait peur. J'espère que tu voudras bien accepter mes excuses.

— Je les accepte.

Son ton était aussi neutre que son expression.

— Je pars demain.

Il la vit se raidir imperceptiblement. De nouveau, l'espoir surgit en lui. Peut-être était-ce le moment opportun... Elle allait se tourner enfin vers lui, lui dire qu'elle lui pardonnait. Il lui prendrait alors la main et ensuite ils...

— C'est ce que tu as de mieux à faire, lâcha-t-elle froidement.

Elle se leva.

— Je te souhaite bon voyage, Clay.

Et elle disparut dans la foule, emportant avec elle le dernier espoir et tous les rêves du jeune homme. Un instant, il eut envie de se lever et de la rattraper. Il devait lui expliquer que leur relation était importante pour lui, qu'ils avaient un avenir ensemble, aussi bien professionnel que privé, qu'il l'aimait et qu'il voulait l'épouser...

Et voilà son rêve qui recommençait. Mais elle lui rirait au nez, se dit-il. Elle l'accuserait de chercher tous les moyens pour la manipuler. Bref, elle le détesterait encore un peu plus que maintenant.

Il était courageux, il était capable d'affronter un cheval sauvage ou un taureau furieux. Mais il n'était pas assez brave pour faire face à Niki Keene en ce moment.

Elle avait raison : il ferait mieux de faire ses bagages et de partir dès l'aurore.

Clay s'en allait. Définitivement. Il n'avait pas réussi à lui faire accepter son maudit concours, alors il la quittait. Il la laissait tomber comme une vieille chaussette après l'avoir courtisée et harcelée pendant des jours... Et des nuits.

Oubliant que c'était elle qui l'avait poussé à partir, Niki sentit son plexus se serrer à l'étouffer quand elle se rendit compte que c'était ce qui allait arriver.

Clay fit ses adieux au petit déjeuner. Des exclamations chagrinées et des murmures déçus lui répondirent. Touristes et ouvriers se firent un point d'honneur de lui serrer la main avant de vaquer à leurs occupations.

Niki fut l'exception qui confirme la règle. Dès qu'elle le put, elle sortit de la salle à manger pour s'installer derrière le bureau qui se trouvait dans le salon et s'absorber dans l'examen d'une pile de factures. Elle avait à peine commencé quand Dani pénétra dans la pièce, Elsie dans les bras et son beau-père, Travis, à deux pas derrière elle.

Travis lui fit un signe amical de la main avant de disparaître dans la cuisine, tandis que Dani se campait devant le bureau derrière lequel Niki faisait semblant de travailler.

— Salut, Niki... Comment vas-tu?

La jeune femme eut un haussement d'épaules.

— Bien. Et comment vont les dents de ma nièce favorite?

— Elles ont enfin percé. Deux en même temps. Et nous dormons comme des loirs, ajouta-t-elle après avoir planté un baiser sur les cheveux d'Elsie.

L'enfant poussa des petits cris et pointa de son minuscule index la cuisine, dans laquelle Tilly s'affairait.

— Excuse-nous, Niki, mais j'ai promis à Granny de l'aider à faire des tartes pour ce soir, et Elsie veut un goûter par-dessus le marché.

Niki regarda sa sœur s'éloigner avec son bébé. Elle l'enviait. Tout comme elle enviait Toni d'avoir trouvé, elle aussi, son prince charmant. Quant à elle, elle risquait fort de se retrouver vieille fille. Reine de beauté des vieilles filles... Voilà un titre qu'elle n'aimerait pas gagner!

Clay descendit l'escalier, son sac à dos sur l'épaule. Niki se redressa et lui sourit poliment.

— Tu pars déjà? Tu as dû faire tes bagages en un temps record!

— J'avais emporté très peu de chose. Et je n'ai pas de raison de prolonger mon séjour, dit-il d'un ton amer.

Il déposa un chèque sur le bureau.

— Je pense que cela devrait couvrir mes frais.

Elle haussa les sourcils en apercevant le montant.

— Mais tu as passé ton temps à travailler ! Tu n'as pas besoin de payer, surtout un tel montant !

— J'en ai envie. J'ai enfin compris que j'ai gêné tout le monde en m'installant de force ici. Je le regrette, maintenant. Ce chèque servira à compenser le dérangement que j'ai causé.

Niki lança un coup d'œil au bout de papier. Dans ce cas, le montant, pourtant généreux, ne suffirait pas à compenser la façon dont il avait bouleversé sa vie.

— Très bien, dit-elle froidement.

Après avoir glissé le chèque dans un classeur, elle le regarda d'un air neutre.

— Il ne me reste plus qu'à te souhaiter bon voyage.

Leurs regards se croisèrent et se soutinrent. Un frisson parcourut le dos de Niki, ses mains se firent moites. Instinctivement, elle eut envie de se passer la langue sur les lèvres, mais elle parvint à les pincer fermement, et à froncer les sourcils en prime.

Devant son air austère, Clay soupira.

— Bien... Je vais y aller. Ah, j'oubliais... La finale du concours se tiendra après-demain, à 2 heures de l'après-midi. Elle aura lieu à Dallas, chez Eve Hubbard. Son ranch se trouve à quelques kilomètres de la ville et je me suis permis de te dessiner un plan.

Il extirpa de sa poche une feuille de papier pliée en quatre, qu'il posa sur le bureau.

Niki n'y toucha pas. Elle se contenta de la regarder d'un air crispé, comme s'il s'agissait d'un serpent venimeux prêt à mordre.

Clay se pencha vers elle, le regard brillant.

— Tu te souviens du jour où je t'ai rencontrée, Niki ? C'était chez les Mitchell. Quand tu es venue prendre ma commande, je t'ai dit que rien ne me tentait.

— Je ne l'ai pas oublié.

— Je me suis trompé. J'avais une envie précise, et c'est pour cela que je suis revenu.

Confuse, elle cligna les paupières.

— Qu'est-ce que tu essaies de me dire, Clay ?

— Que toi aussi tu peux te tromper en pensant que tu n'as pas envie d'aller chez Eve. Si tu changes d'avis, viens à Dallas. J'y serai.

— Je n'en doute pas.

Clay perçut l'ironie du ton de la jeune femme et en fut affecté.

— Au revoir, Niki.

Il la fixa un long moment avant de se détourner avec un soupir. Puis il sortit du ranch d'un pas pressé.

Niki demeura derrière son bureau, incapable d'émettre un son ou de faire un geste. Quand il referma la porte derrière lui, elle comprit tout à coup qu'elle avait pris le risque de ne plus jamais le revoir et un formidable désespoir l'envahit.

Il partait, et Niki n'allait pas esquisser le moindre geste pour l'en empêcher. Pourtant, jusqu'au dernier moment il avait cru que, si elle comprenait enfin qu'il s'en allait pour de bon, elle ferait quelque chose, n'importe quoi, pour le retenir. Un mot, un soupir, un baiser de sa part l'aurait arrêté plus sûrement que n'importe quel contrat signé par Eve Hubbard.

Il s'était lourdement trompé. Niki l'avait laissé partir sans exprimer un regret, et maintenant il allait devoir affronter la mauvaise humeur d'Eve. Ensuite, il lui faudrait éplucher les offres d'emploi des magazines spécialisés. Bref, l'avenir s'annonçait brillant... Pas de rodéo, pas de salaire mirobolant chez Hubbard Grand Ouest, et aucune petite amie à l'horizon.

— Grands dieux... Que se passe-t-il ?

Une main très douce se posa sur la nuque de Niki. La jeune femme avait le front sur ses bras croisés et pleurait à chaudes larmes derrière son bureau.

— Niki... Qu'est-ce qui ne va pas ? s'inquiéta Dani, qui avait suivi Tilly. Je t'ai vue il y a un quart d'heure à peine, et tu semblais aller très bien. Que t'est-il arrivé? Pourquoi pleures-tu?

La jeune femme renifla, frotta ses yeux humides et leva la tête.

— Je ne pleure pas.

— Bien sûr que si, mon chou, affirma Dani qui avait l'air inquiet. Mais rassure-toi, ce n'est pas illégal! Dis-nous simplement ce qui ne va pas, pour que nous puissions voir comment nous pourrions t'aider.

Tilly essuya de sa paume ridée les larmes qui roulaient sur la joue de Niki.

— Du calme, Dani. Laisse-la reprendre ses esprits.

La vieille dame se pencha vers sa petite-fille pour lui demander avec la plus grande douceur:

— Clay est venu te dire adieu, n'est-ce pas?

Niki hocha la tête et ses sanglots redoublèrent.

— Mais je croyais que tu ne le supportais pas, marmonna Dani. Pourquoi son départ te cause-t-il un tel chagrin?

— Parce que... Au fond, je n'en sais rien, admit Niki. Je ne voulais pas qu'il vienne au ranch et encore moins qu'il y habite, je n'ai pas l'intention de participer à son stupide concours, et je n'ai pas envie de changer quoi que ce soit à ma façon de vivre. Et maintenant, j'ai l'horrible impression de ne plus du tout savoir ce que je veux!

Tilly tapota gentiment l'épaule de Niki avant de s'adresser à Dani.

— La pauvre chérie, murmura la vieille dame. C'est la première fois qu'elle est amoureuse. Elle est toute bouleversée!

Les yeux de Dani s'arrondirent.

— Niki, c'est vrai? Tu es amoureuse?

Tilly et Dani se tournèrent toutes les deux vers Niki.

— Non... Oui, marmonna Niki en secouant ses mèches blondes.

Il y avait dans ses yeux une telle confusion, une telle incertitude, que sa grand-mère et sa sœur y virent la confirmation de leur hypothèse.

— Je regrette que tu ne l'aies pas empêché de partir, mon

chou. Mais c'est une erreur qui doit pouvoir se rattraper, déclara Tilly.

— Je n'ai rien pu faire! s'exclama Niki. Après tout, Clay est majeur et vacciné. C'est un adulte en pleine possession de ses moyens, et il fait ce qu'il veut.

— Comme toi, je parie? Tu voulais l'empêcher de partir, Niki, admets-le. Mais tu t'es interdit de le faire.

— Eh bien, non... Enfin, je voulais qu'il reste, mais il a choisi de s'en aller.

— Il est difficile de choisir quand on ne dispose pas de tous les paramètres, dit Tilly d'un ton sentencieux. Et il en manquait au moins un à Clay. Il ignorait que tu étais tombée amoureuse de lui.

— Mais je n'en étais pas vraiment sûre, Granny. Et je n'allais pas le lui avouer tant qu'il ne m'avait pas dit ce qu'il ressentait pour moi.

Dani se laissa tomber sur l'une des chaises disposées près du bureau.

— Je n'aurais jamais imaginé que les choses étaient allées aussi loin entre vous, déclara-t-elle.

Niki la regarda en clignant les paupières.

— Je me suis laissé entraîner, gémit-elle. Il n'arrêtait pas de me harceler. J'ai fini par craquer.

Elle se mordit la lèvre, comme si elle s'apprêtait à pleurer de nouveau.

— Et puis il a abandonné la partie. Il est retourné à Dallas, et il ne risque pas de revenir. Et moi, je me sens horriblement mal!

— Tu devrais lui dire ce que tu ressens pour lui, suggéra Tilly.

— Mais je ne suis plus sûre de rien, protesta Niki. Et puis, il risque de se moquer de mes sentiments. Je serais ridicule.

— Quand tu aimes quelqu'un, intervint soudain Dani, tu ne t'inquiètes pas de savoir si tu risques de te sentir ridicule ou non. Tu t'oublies pour t'occuper uniquement du bonheur de l'autre.

— C'est vrai? s'écria Niki, les yeux écarquillés. C'est à

cela que tu reconnais l'amour? Quand tu accordes à l'autre plus d'importance qu'à toi-même?

— C'est vrai pour moi, en tout cas, répondit Dani avec sérieux. Quand je pense à mon mari ou à ma fille, j'ai bien plus envie de leur donner que de recevoir et ...

La sonnerie du téléphone l'interrompit. Devinant, en échangeant un regard avec Niki, qu'elle devait répondre, elle décrocha l'appareil, écouta son interlocuteur quelques secondes, fronça les sourcils et finit par lâcher d'un ton poli :

— Si vous voulez bien m'excuser un instant, je vais voir si elle se trouve dans les parages.

Le cœur de Niki se mit à battre la chamade. Et si c'était Clay? Quand Dani lui tendit l'appareil, elle s'en empara en hâte.

La voix d'Eve résonna avec un timbre métallique à l'autre bout du fil.

— Bonjour, Niki. Je viens de parler à Clay. Il paraît que c'est vous qui allez me donner directement votre réponse, à propos du concours. J'espère que cela signifie que vous y réfléchissez encore...

Ainsi, Clay n'avait pas transmis à Eve le refus définitif de Niki.

Elle pouvait encore dire oui.

— Je... C'est vrai, bredouilla-t-elle, soudain confuse. Je réfléchis encore.

— Dans ce cas, il faudrait vous presser, rétorqua Eve un peu sèchement. Si cela peut vous aider à prendre votre décision, je vous annonce que le statut de Clay est dans la balance.

— Comment cela?

— Oh, je vois qu'il ne vous en a pas parlé... Laissez-moi vous expliquer sa situation en termes clairs : si vous ne participez pas au concours, Clay perd son job chez moi.

— Il ne m'en a rien dit, murmura Niki.

— C'est ce qui m'étonne. Il savait pourtant qu'à l'idée de le savoir à la rue, vous risquiez de faire un petit effort et d'accepter. J'ai promis qu'il y aurait douze candidates au titre de Miss Hubbard Grand Ouest, reine des cow-boys, et il y en aura douze !

— Eve, si je ne viens pas, ce ne sera pas la faute de Clay, plaida Niki.

— Ce n'est pas une question de faute, ma chère. C'est une question de gros sous. J'ai toute une campagne publicitaire en jeu, qui ne dépend que de vous.

— Il n'est pas certain que je gagne, Eve. En admettant que je change d'avis et que je vienne à Dallas, bien sûr. Il y aura un jury et d'autres participantes. Je suppose que le résultat du concours n'est pas fixé à l'avance...

— Oh, non ! Qu'allez-vous imaginer ? s'exclama Eve d'un ton léger. Excusez-moi, Niki, mais il faut que je file à un rendez-vous. J'espère vraiment vous voir chez moi dans deux jours !

Niki raccrocha, les mains moites et la sueur au front. La nouvelle qu'elle venait d'apprendre la déconcertait complètement. Jamais elle n'aurait pensé que la situation professionnelle de Clay dépendait de sa participation au concours. Pourquoi ne lui avait-il rien dit ?

La réponse était évidente : il n'avait pas voulu la manipuler. Il était capable de la harceler, de chercher à la persuader par tous les moyens, mais pas de lui faire du chantage.

— Niki, tu es blanche comme un linge ! s'écria Tilly en dévisageant sa petite-fille. Qu'est ce qui se passe ?

— J'ai du mal à le comprendre moi-même, murmura Niki, perplexe. J'ai l'impression que je viens de tomber dans un piège.

— Quel piège ? demanda aussitôt Dani, anxieuse.

— Eve Hubbard vient de me prévenir que si je ne participe pas à son concours absurde, Clay en fera les frais. Elle annulera la campagne de publicité dont il devait être le porte-parole et moi l'image, et il perdra son job.

Dani haussa les épaules.

— De toute façon, il avait l'intention de revenir au rodéo, non ?

— Justement, il ne peut plus. Le rodéo lui est désormais interdit pour des raisons médicales bien précises. Il va se retrouver à la rue.

Les trois femmes demeurèrent silencieuses un long moment. Ce fut Dani qui intervint.

— Tu as changé d'avis, n'est-ce pas? demanda-t-elle d'une voix douce en s'adressant à sa sœur. Tu vas participer à la finale.

— Je ne vois pas comment ce serait possible, même si je le voulais, murmura Niki, la gorge serrée par l'anxiété. Je peux encore accepter de faire un tour de piste et de me laisser juger comme si j'étais un animal de foire, mais je ne pourrais jamais monter à cheval... Et devant une foule d'étrangers par-dessus le marché!

Un frisson glacé lui parcourut le dos rien qu'en envisageant la scène.

— D'un autre côté, je n'ai pas le choix si je veux sauver du désastre l'homme que j'aime, ajouta-t-elle à voix plus basse, comme si elle se parlait à elle-même.

Les mots lui avaient échappé. Elle regarda tour à tour Tilly et Dani, qui ne semblaient guère surprises par l'aveu. Mise en confiance, la jeune femme chuchota:

— Qu'est-ce que je peux faire? Vous avez une idée?

— Oui. Je vais te prêter Sundance, proposa Dani sans hésiter.

Sundance était le cheval apaloosa adoré de Dani. Elle l'avait eu tout petit, l'avait élevé et dressé elle-même, et personne n'avait le droit d'y toucher, encore moins de le monter.

— Sundance? répéta Niki, abasourdie, sachant que sa sœur ne l'avait jamais prêté à personne.

— C'est une crème. N'importe qui pourrait le monter sans danger, à condition que j'accepte, bien sûr. Je le passerai à Elsie les yeux fermés dès qu'elle pourra se mettre en selle. Avec lui, tu auras l'air d'une cavalière-née en moins d'une heure. Si tu n'as pas peur et si tu ne te mets pas à crier. Sundance déteste que l'on élève la voix.

— Mais... Qu'est-ce qui va se passer, si jamais je gagne ce concours débile? protesta Niki, la gorge de plus en plus serrée. Je pourrais peut-être faire semblant de savoir monter pendant dix minutes, mais il est hors de question que je passe une année entière à cheval!

— Attendons que le problème se présente, déclara Dani d'un ton posé. D'ailleurs, tu pourrais perdre...

Elle lança un coup d'œil à sa sœur, si jolie dans la lumière dorée du matin et soupira.

— Non, inutile d'espérer... C'est toujours toi qui gagnes.

— Mais cette fois, gagner signifierait perdre, pour moi, rétorqua Niki. Et il y a un autre problème, pratique celui-là. Comment pourrais-je emmener Sundance jusqu'à Dallas ? Je suis incapable de faire monter ce cheval dans un van, ou de le faire descendre ! Je ne saurais même pas le nourrir ou le panser !

Elle hocha la tête, presque soulagée. Elle avait trouvé une excuse béton pour éviter l'épreuve. Elle faisait de son mieux pour sauver le job de Clay, mais cela ne pouvait pas marcher...

Un bruit de bottes résonna dans l'entrée et martela le carrelage en s'approchant du salon où étaient réunies les trois femmes, qui levèrent la tête en même temps. Elles aperçurent Travis Burke sur le seuil de la porte, sa petite-fille dans les bras. Il balaya la scène du regard et demanda aussitôt, l'air méfiant :

— Qu'est-ce que vous êtes en train de fabriquer, toutes les trois ?

Dani sourit à sa fille avant d'expliquer la situation à son beau-père.

— Nous sommes en train de mettre sur pied un projet qui n'est pas évident. Niki doit se trouver à Dallas après-demain pour participer à l'élection de la reine des cow-boys, et il faut que Sundance voyage avec elle.

Travis fronça les sourcils.

— Ce concours, c'est celui qu'Eve organise, n'est-ce pas ?

Dani hocha la tête.

— Il va se dérouler dans son ranch, poursuivit Travis, pensif.

— Oui.

— Hmm...

Les trois femmes dévisagèrent Travis avec curiosité.

— Je pensais demander à Dylan d'accompagner Niki et de...

— Inutile, trancha Travis. J'ai des choses à régler avec Eve Hubbard, dit-il d'un ton qui ne présageait rien de bon pour la fondatrice de Hubbard Grand Ouest.

Il se tourna vers Niki.

— C'est moi qui t'accompagnerai, fillette.

Tous les regards se tournèrent alors vers la jeune femme, qui se recroquevilla sur son siège avec l'horrible impression qu'un piège fatal se refermait sur elle.

11.

— Pourquoi pas?

Niki se redressa d'un bond, l'air déterminé.

— Après tout, qu'est-ce que j'ai à perdre, à part un peu d'amour-propre et peut-être ma vie?

— Rien que cela? s'exclama Travis, en haussant les sourcils. Je croyais qu'il s'agissait d'un concours de beauté.

— C'est vrai, intervint Dani en riant.

Elle s'approcha de sa sœur et la prit aux épaules.

— Nous allons réussir, affirma-t-elle.

Ce « nous » plut à Niki. Les sœurs Keene formaient un trio inébranlable. Si l'une d'elles avait besoin d'aide, les deux autres accouraient aussitôt.

— Qu'en penses-tu, Granny? Tu crois que je suis devenue folle?

Tilly sourit avec un brin de malice.

— Tu es amoureuse, ma chérie. Ça revient au même.

Travis, qui avait rendu Elsie à sa mère, se balança sur les talons de ses bottes, l'air impatient.

— Alors, les filles? On va à Dallas, oui ou non?

— On y va, affirmèrent Niki et Dani en chœur.

— Quand?

Niki lança un coup d'œil inquiet à Dani.

— Il va falloir que je m'habitue à Sundance...

Elle déglutit avec peine. Peu à peu, la décision qu'elle avait prise commençait à devenir réelle. Et cette réalité la paniquait.

— On commencera demain matin, déclara Dani, qui adorait planifier, organiser et prendre des responsabilités. Demain soir, tu feras tes bagages. Travis et toi vous pourrez partir après-demain à l'aube.

— Tu... Tu crois qu'en une journée, je... je pourrai apprendre à monter Sundance?

Le cœur de Niki se serrait à l'étouffer. Les mots franchissaient difficilement ses lèvres. Le terme « cheval », en particulier... Elle n'arrivait pas à le prononcer.

— Ça ira, affirma Dani. Et les événements vont s'enchaîner si rapidement que tu n'auras pas le temps de penser. Tu vas au concours, tu fais ton tour, tu gagnes, et hop, tu reviens! Avec un programme aussi chargé, il n'y a pas de place pour la peur. Ni pour l'hésitation.

Niki réussit à sourire.

— Tu as raison. Ce programme te convient, Travis?

— Parfaitement. Pour activer les choses, je vais chercher Sundance et je le ramène ici ce soir. Vous pourrez commencer la séance demain matin tôt.

— Merci, Travis, dit Dani en posant affectueusement la main sur le bras de son beau-père.

— Oui, merci, répéta Niki en écho, la voix étrangement faible.

Grands dieux... Dans quel guêpier venait-elle de se fourrer?

Niki fit un pas en avant. L'apaloosa lui lança un regard intrigué mais ne bougea pas.

— C'est ça, Niki... Avance encore. Tu vois comme il est calme? Tends la main, maintenant, et caresse-lui l'encolure.

— Le caresser? murmura Niki dans un souffle.

Elle se passa la langue sur ses lèvres desséchées. Mais elle ne bougea pas les bras. Ils semblaient peser des tonnes de chaque côté de son corps.

Dani s'approcha pour faire une démonstration. Elle fit glisser sa paume sur l'encolure du cheval.

— Tu dois lui montrer que tu ne lui veux pas de mal, expliqua-t-elle à Niki, pétrifiée.

164

Voyant que sa sœur était incapable de remuer le petit doigt, Dani lui prit la main avec douceur et la posa sur le cou de Sundance.

— Tu vois ? Il ne bouge pas. Il remue simplement les oreilles, pour te dire que ça lui plaît.

Niki hocha la tête. Elle se mit à caresser l'apaloosa avec des mouvements mécaniques.

— Parfait, susurra Dani. Et maintenant, la leçon suivante : la mise en selle !

Elle se rapprocha encore de Niki.

— Tu lèves le pied gauche, tu le glisses dans l'étrier et tu te hisses sur la selle, expliqua-t-elle.

Prudemment, elle évitait de prononcer le mot « cheval », ce dont Niki lui était reconnaissante. Mais le moment de vérité était arrivé. Et ce n'était pas sur un chien ou un chat que Niki allait monter.

La jeune femme fixa l'apaloosa, les yeux élargis par la panique. Aurait-elle le courage de mettre de côté ses souvenirs horribles, d'affronter ses démons et de faire ce que lui demandait Dani ? Etait-elle prête à surmonter sa peur viscérale pour aider Clay ?

Clay... Il avait besoin d'elle, songea Niki. Tout à coup, sa détermination lui revint. Les dents serrées, les lèvres pincées, elle passa son pied dans l'étrier et se hissa sur le cheval.

— Tu m'as impressionné, tu sais, fillette. Quand je t'ai vue à cheval, je n'en croyais pas mes yeux. Tu as un sacré courage, Niki.

— Merci, Travis.

Elle se cala contre le dossier de la banquette de la jeep. Ce n'était pas du courage qu'il lui fallait pour surmonter sa peur des chevaux. C'était une bonne dose d'amour. Et il lui en faudrait des montagnes pour se remettre en selle, tout à l'heure.

Ils avaient pris la route à l'aube, et il était près de midi. Dans moins d'une heure, ils arriveraient au ranch d'Eve Hubbard. Une petite heure, voilà tout ce qui la séparait encore de son destin, se dit Niki, les yeux fixés sur la route.

Elle allait s'efforcer de rester sur le dos de Sundance, alors qu'elle s'était juré de ne jamais monter à cheval de sa vie, et tenter de répondre intelligemment aux questions stupides que lui poserait un jury dans le but de gagner un concours qu'elle souhaitait rater de tout son cœur.

La vie vous jouait de ces tours, parfois...

Et ce n'était pas tout.

Le pire serait d'avouer son amour à un homme, alors qu'elle ignorait tout des sentiments qu'il pouvait lui porter. Mais au moins, il ne pourrait pas l'accuser d'avoir brisé sa carrière. Elle allait faire passer le bonheur de Clay avant le sien... N'était-ce pas une authentique preuve d'amour ?

— Tu peux regarder ton plan ?

La voix de Travis la tira brusquement de ses pensées.

— Oui, bien sûr.

— Il faudrait que tu me dises à quel moment je dois tourner pour prendre la route qui mène au ranch d'Eve.

Elle déplia le plan que Clay avait dessiné lui-même et qu'il lui avait remis avant son départ, et lui donna l'information. Puis elle ajouta, songeuse :

— C'est vraiment gentil de ta part d'avoir accepté de m'accompagner.

Travis émit un grognement.

— C'est autant pour moi que pour toi que je l'ai fait, fillette. Je voulais revoir Eve, et tu me sers de prétexte.

— Vous vous entendez bien, tous les deux.

Il émit un second grognement.

— Au début, ça collait à merveille. Et puis elle a commencé à se fâcher et elle m'a dit que tout avait été trop vite et que je ne l'avais pas assez courtisée. Bon sang, je ne la connaissais que depuis vingt-quatre heures !

Niki rit doucement.

— C'est vrai que c'est un peu court.

— Elle m'a dit que j'avais intérêt à venir lui dire au revoir avant qu'elle ne quitte le Bar-K, sinon, ce serait fini entre nous. Et moi, je lui ai dit que, si elle ne m'appelait pas avant de partir, je la prendrais pour une citadine sophistiquée qui se serait servie d'un indigène comme moi pour pimenter un voyage d'affaires, voilà tout.

— Ça ressemble fortement à une impasse, murmura Niki, compatissante.

— Ouais... Le problème, c'est qu'elle me manque, grommela Travis.

Il poussa un profond soupir avant de reprendre :

— Je cherchais un moyen de la revoir sans perdre la face, et tu m'as donné le prétexte idéal ! Je ne sais pas si cela va nous mener très loin, elle et moi, mais je ne veux pas laisser passer ma chance. Elle est vraiment quelqu'un de spécial, tu sais.

Niki hocha la tête. Travis et elle se trouvaient dans la même galère, maintenant. L'un comme l'autre, ils étaient déterminés à aller jusqu'au bout de leurs sentiments. Pour la première fois depuis longtemps, elle se sentit apaisée.

Quand il prit le tournant pour s'engager sur la route menant au ranch d'Eve, Travis lança un coup d'œil à sa voisine.

— Tu es bien silencieuse... Tu ne serais pas un peu nerveuse, par hasard ?

— Si.

— Dès que nous arriverons, tu iras voir les organisateurs et tu te renseigneras sur ce que tu dois faire... Ne t'occupe de rien d'autre. Je me charge de faire descendre Sundance, de le panser et de le nourrir. Il sera prêt quand tu en auras besoin.

— M-merci, Travis.

Il comprit que l'anxiété allait de nouveau submerger la jeune femme et il tenta de la rassurer.

— Niki, tu n'as pas à t'inquiéter. Dani a raison, n'importe qui pourrait monter sur son apaloosa. Il est tellement calme et si bien dressé qu'il est capable de faire son tour de piste tout seul, sans que tu lui demandes quoi que ce soit. Il te suffit de tenir les rênes et de te laisser aller.

Elle eut un pâle sourire.

— Je n'avais pas l'intention de faire autre chose.

Il sourit à son tour.

— N'oublie pas que tu as été élevée parmi des cavaliers. Tu n'as qu'à faire semblant d'être Dani ou Toni, et tout ira bien. Fais confiance à Sundance. Ce cheval-là est plus gentil et plus intelligent que la plupart des gens que je connais !

Clay n'arrêtait pas de sourire. A croire qu'il avait étiré et fixé ses lèvres avec de l'adhésif invisible. Il souriait ainsi depuis deux jours, en permanence. En fait, depuis le moment où la première candidate choisie par Eve avait franchi la porte du ranch. A ce moment-là, les photographes avaient commencé à le mitrailler de leurs flashes en compagnie de la jolie blonde, et il s'était mis à arborer son fameux sourire.

Le ranch d'Eve Hubbard s'apparentait davantage à un palais qu'à une ferme. La maison principale était immense et dotée d'un confort luxueux. Elle était entourée de bâtiments en parfait état et soigneusement entretenus, qui servaient d'écurie aux splendides chevaux qu'elle réservait à ses invités, et qui étaient fréquemment utilisés dans ses campagnes de publicité. Après tout, les vêtements qu'elle dessinait évoquaient la vie au grand air et les chevaux sauvages... Paradoxale jusqu'au bout des ongles, Eve ne portait pas les habits qu'elle créait et ne montait pas les chevaux qu'elle élevait.

Clay lança un regard fatigué dans la direction de la carrière. C'était un immense rectangle de sable fin, presque blanc, dans lequel évoluaient les candidates, à pied ou à cheval, suivies par une horde de journalistes et de photographes.

— Hou-hou, Clay !

Grace Stanley, la candidate qui venait de Tulsa, agita une main gracieuse et lui envoya un baiser, tandis que les photographes braquaient leurs appareils sur elle. Clay lui sourit en retour. Un sourire aussi éblouissant que machinal.

Cela ne faisait que deux jours qu'il était ici, pourtant il se sentait épuisé. Il avait hâte d'en finir avec ce maudit concours. Ce soir, il serait libre. D'autant plus libre qu'il n'aurait même plus de travail.

Dans la carrière, une foule de gens s'agitaient. Le concours allait commencer dans un petit quart d'heure. Les concurrentes arriveraient ensemble, sur une grande charrette garnie de ballots de foin et décorée de fleurs, et porteraient les vêtements les plus tendance de la dernière collection de Hubbard Grand Ouest. Elles seraient jugées après chaque épreuve par un jury composé de quatre membres, prêts à voter dans le sens que leur indiquerait Eve Hubbard. En fin de journée, un grand défilé aurait lieu avec les concurrentes portant les tenues habillées de la nouvelle collection pour le soir qu'avait dessinée Eve. La journée se terminerait par la remise des prix. De ce côté-là, Clay n'avait aucune inquiétude. Eve savait se montrer généreuse.

Les onze candidates faisaient de leur mieux pour attirer l'attention et se faire remarquer. Chacune d'elles rêvait de devenir Miss Hubbard Grand Ouest et de passer l'année suivante à représenter la marque à travers tout le continent. En compagnie de Clay, bien sûr... Certaines lui avaient déjà fait des avances. Il les avait ignorées. Son programme était clair : faire son boulot jusqu'au bout, puis s'en aller Dieu seul savait où... En ce qui concernait les femmes, il allait garder ses distances jusqu'à la fin de ses jours.

Un haut-parleur se mit à grésiller, des exclamations fusèrent, il y eut des mouvements de foule. La cohorte de parents, amis, journalistes prirent leurs places sur les gradins installés autour de la carrière. Le spectacle commençait.

La voix d'Eve résonna, forte et claire.

— Mes amis, nous sommes réunis ici pour souhaiter bonne chance aux candidates qui briguent le titre de Miss Hubbard Grand Ouest, reine des cow-boys. La gagnante incarnera la nouvelle image de ma ligne de vêtements, qui fait un tabac chez nous et dans le monde. Par conséquent, cette jeune femme ne devra pas se contenter d'être très belle. Elle représentera ma société pendant une année et servira de modèle à des millions de jeunes dans notre pays. Elle les fera rêver pendant douze mois... Aussi, je vais demander au jury d'être très attentif à la personnalité et au magnétisme qui se dégagent de chacune de ces ravissantes jeunes femmes. Et maintenant, je vous demande d'applaudir l'arrivée sur la piste de nos douze candidates. Leur sélection a été sévère, et je crois que vous allez être impressionnés ! Que la meilleure gagne !

« Douze. » Eve, qui ne se trompait jamais, surtout lorsqu'il s'agissait de chiffres, avait dit « douze » au lieu de « onze », remarqua Clay. Elle devait être plus fatiguée qu'elle ne le laissait paraître.

Les portes du bâtiment attenant à la carrière s'ouvrirent largement et une longue charrette ornée de fleurs, tirée par deux splendides chevaux de trait blancs comme neige, surgit sous les regards admiratifs des spectateurs. Debout sur le plateau de la charrette, les pieds calés entre les ballots de foin pour maintenir leur équilibre, les candidates, vêtues de la tête aux pieds par Eve Hubbard, saluaient la foule et envoyaient des baisers. Elles arboraient un sourire enthousiaste et agitaient leurs mains et leurs chapeaux avec beaucoup de conviction. L'une d'elles attira l'attention de Clay. Plus discrète, plus réservée que les autres, elle semblait avoir du mal à prendre conscience du rôle qu'elle était censée jouer. Comme si elle n'avait pas entendu les recommandations qu'Eve avaient faites à toutes les candidates, deux heures plus tôt.

Clay fronça les sourcils. La jeune femme qu'il ne quittait pas du regard avait une silhouette et un port de tête qui lui étaient étrangement familiers. Et ce profil, qui lui rappelait... Le cœur battant la chamade, Clay vit la jeune femme ôter son chapeau pour saluer la foule et une cascade de cheveux blonds et soyeux se déversa sur ses épaules. Grands dieux, c'était Niki ! Comment était-elle arrivée ici ? Par quel miracle avait-elle changé d'avis ?

Il avait à peine formulé la question dans son cerveau que la réponse lui fut donnée par son cœur. Niki était venue parce qu'elle avait appris — de la bouche d'Eve, naturellement — qu'il perdrait son travail si elle n'était pas candidate. Niki avait eu pitié de lui.

Il contempla le spectacle avec la triste impression d'être le parent pauvre pour qui on fait un effort, par devoir ou par compassion. Il attendait que les chevaux s'arrêtent et que la charrette s'immobilise pour faire descendre, une par une, les candidates afin de les présenter à la foule. C'était la mission

170

qu'Eve lui avait confiée. Il arbora un sourire éblouissant et tendit la main vers la première jeune femme qui s'apprêtait à descendre. Au fond de lui, son cœur était en miettes. Il savait que Niki devait vivre un enfer, et que c'était pour lui qu'elle subissait cette épreuve.

Il avait réussi son pari, il avait réussi à persuader Niki de venir et il pourrait garder son job.

Mais s'il avait gagné la candidate, il avait perdu la jeune femme.

La victoire était amère.

Quand ce fut son tour de descendre, Niki mit sa main dans celle de Clay. Il la serra si fortement qu'elle retint une exclamation de douleur.

— Désolé, murmura-t-il en l'accompagnant vers l'endroit où se trouvaient les autres candidates qu'il avait déjà présentées à la foule.

Sous son regard sombre, Niki se raidit. Il ne semblait pas du tout heureux de la voir. Elle avait guetté un signe, un mot, un clin d'œil... En vain. S'il n'avait pas eu ce sourire figé sur les lèvres, elle aurait pu croire qu'il était furieux.

Brusquement, elle se sentit stupide, avec son grand chapeau, sa chemisette nouée au-dessus du nombril et son short en jean qui dévoilait ses jambes superbes, dont le bronzage était rehaussé par de courtes bottes blanches.

Et ce n'était que le début du concours... Le pire restait à venir : le tour de piste à cheval.

Quand le jury appela son nom, elle fit ce qu'on lui avait demandé : quelques pas en avant, sourire, pivoter lentement, sourire, avancer encore, puis revenir à son point de départ. Sans oublier de sourire, bien sûr, pour faire croire au jury que se trouver là, au milieu d'une arène, avec des centaines de regards braqués sur elle, c'était le grand bonheur de sa vie. Puis elle remonta dans la charrette avec les autres candidates et se laissa emporter hors de la carrière en agitant la main et en envoyant des baisers.

Après cette épreuve, qui n'était que la première d'une longue série, Niki sentit la nausée l'envahir.

Dès que la charrette pénétra dans le bâtiment, se trouvant ainsi hors du champ de vision des spectateurs, Clay fit descendre Niki et l'entraîna à l'écart, loin des regards jaloux des autres candidates.

— Qu'est-ce que tu fais ici? lui demanda-t-il d'un ton furieux.

— Je... Je...

Les mots dansaient dans la tête de Niki mais ne parvenaient pas à franchir le barrage de ses lèvres roses. Se sentant incapable de formuler une pensée cohérente tant l'émotion la tenaillait, elle choisit de laisser son cœur s'exprimer. Elle se pressa contre Clay, lui passa les bras autour du cou et plongea son magnifique regard bleu dans ses yeux sombres.

— Je suis venue parce que je t'aime, dit-elle simplement.

Elle le sentit tressaillir violemment contre elle.

— Je suis fou, ou bien j'entends des voix, marmonna-t-il en clignant les paupières. Tu m'as dit que tu m'aimais? C'est vrai?

Il semblait si incrédule qu'elle décida de répéter son aveu.

— Je t'aime et je veux faire tout mon possible pour t'aider à garder ton travail chez Eve.

Immobile, comme pétrifié, il la fixa un moment avant de demander d'un ton neutre :

— C'est comme cela qu'Eve a réussi à te persuader de venir, n'est-ce pas? Tu te sentais coupable?

— Oui... Enfin, non... Pas vraiment...

— Ecoute, si je perds ce job, je ne serai pas à la rue. J'ai des économies substantielles, et je sais que je n'aurais aucun mal à travailler ailleurs. Alors je te libère de toute obligation.

Il se dégagea de son étreinte et recula d'un pas, le visage aussi neutre que la voix.

— Et si je ne veux pas me libérer? demanda-t-elle, prise d'une panique soudaine.

— Allons, Niki! Ne me dis pas que tu meurs d'envie de monter à cheval et de faire un tour de piste sous les regards de la foule!

172

La bouche sèche, les mains moites, Niki tenta de répondre le plus honnêtement possible.

— Non, je n'en ai pas envie. Mais j'ai l'intention de faire de mon mieux, car si je n'y arrive pas, je m'accuserai de lâcheté pendant le reste de mes jours.

Elle eut un petit rire nerveux avant d'ajouter :

— De toute façon, je ne ferai qu'un seul tour, car ce n'est pas moi qui vais gagner le concours.

— Tu peux toujours rêver.

— Que veux-tu dire ?

— Les dés sont jetés, Niki. Tu es d'ores et déjà élue Miss Hubbard Grand Ouest, reine des cow-boys ! Félicitations...

— Quoi ? protesta-t-elle, indignée. Mais je...

— Niki ! Ah, te voilà enfin !

Travis déboula vers eux, hors d'haleine.

— Je t'ai cherchée partout. Dépêche-toi, le jury t'attend. Clay, j'ai vu Eve. Votre absence commence à l'agacer et elle est sur le pied de guerre.

— Travis... Mais que faites-vous ici ? demanda Clay, en fronçant les sourcils.

— Pas grand-chose, mon garçon. J'essaie juste de donner un coup de pouce à ma charmante voisine, répondit Travis en faisant un clin d'œil à Niki.

Il lui tendit un jean mauve et un blouson assorti.

— Tiens, Eve souhaite que tu portes cette tenue pour l'épreuve à cheval. Sundance est prêt, on n'attend plus que toi.

Niki prit les vêtements et les serra contre elle pour dissimuler le tremblement de ses mains. Une vague de panique menaçait de la submerger à tout moment. Grands dieux, qu'était-elle venue faire ici ? Elle ne voulait pas se lancer dans l'arène à cheval... Et elle ne voulait surtout pas gagner. Affolée, elle lança un regard à Clay.

— Tu n'es pas obligée d'y aller, dit-il.

Elle hocha la tête et se dirigea d'un pas ferme vers l'endroit où étaient attachés les chevaux des candidates. Elle devait faire ce tour de piste, coûte que coûte, décida-t-elle. Elle ne s'appelait pas Niki Keene pour rien.

La main tendue, Niki s'approcha de l'apaloosa qui l'attendait sagement près du corral.

— Ça va être à nous, Sundance. Tu ne me laisseras pas tomber, hein ? Je compte sur toi plus que sur moi, mon vieux.

Le cheval la regarda du coin de l'œil.

— Bon. Je te fais confiance.

— Vous montez en selle, ou quoi ? grommela l'homme qui était chargé d'annoncer l'arrivée des candidates sur la piste.

C'était plus facile à dire qu'à faire, songea Niki.

— Je vais t'aider, intervint Travis, plein de sollicitude.

Il lui mit le pied à l'étrier, lui montra comment prendre position sur la selle et lui glissa les rênes entre les mains.

— Essaie de ne pas perdre tes étriers. Ne tire pas sur les rênes. Laisse Sundance faire son tour tout seul, il saura très bien comment s'y prendre.

Il lui fit un sourire rassurant.

— Tu es prête ?

Elle posa les rênes sur le pommeau de la selle, prête à s'y cramponner.

— Oui, chuchota-t-elle, la gorge sèche.

— Allez, Sundance ! s'exclama Travis en frappant du plat de la main la croupe de l'apaloosa. Fais de ton mieux, sinon Dani t'écorchera vif !

Comme s'il avait pris au sérieux l'avertissement de Travis, le cheval partit au petit galop, la queue en panache, apparemment très fier de lui.

Assis à côté d'Eve Hubbard, sur l'un des sièges réservés aux organisateurs, Clay retint son souffle en voyant arriver Niki. Comment avait-elle fait pour surmonter sa peur ? Il se souvenait de façon cuisante de sa tentative d'enlèvement ratée et de sa promenade romantique écourtée à cause de la panique qui avait saisi la jeune femme lorsqu'elle s'était retrouvée à cheval... Et encore, il la serrait contre lui ! Alors qu'elle était seule en selle et seule en piste, maintenant.

Son œil de cavalier expérimenté remarqua aussitôt qu'elle s'accrochait au pommeau de la selle tandis que Sundance évoluait gracieusement sur le sable, comme s'il était ravi de se laisser admirer par le public. Tête basse et ballottée dans tous les sens au début, Niki se redressa peu à peu et prit de l'assurance.

Clay bomba le torse, son cœur se gonfla de fierté. Lui seul savait le courage que ce petit tour de piste exigeait de la jeune femme. Niki était vraiment formidable. Le buste droit, le regard déterminé, sa longue chevelure flottant au vent, elle épousait les mouvements réguliers de sa monture. Clay n'était pas le seul à l'admirer. Quand Niki — ou plutôt Sundance — alla se ranger auprès des autres candidates qui attendaient la fin de l'épreuve à cheval, les applaudissements éclatèrent tout autour de la carrière.

Elle n'avait pas besoin de participer à un concours pour montrer qu'elle était la meilleure, se dit Clay. Niki avait une bonne longueur d'avance sur les autres candidates et le public ne s'y était pas trompé.

Travis surgit entre Clay et Eve. Cette dernière l'accueillit avec un large sourire.

— Tiens donc... Je suis ravie de te revoir, dit-elle d'une voix basse et sensuelle.

— Eve, tu m'as vu il n'y a pas vingt minutes, rétorqua Travis, surpris.

— C'est vrai. Et je viens d'admirer la façon dont tu as entraîné Niki. Tu as obtenu d'excellents résultats.

— Je n'ai strictement rien fait, à part de remorquer le van jusque chez toi.

Il lui posa une main carrée et noueuse sur l'épaule.

— On a à se parler, tous les deux.

— Plus tard, Travis chéri. Je dois d'abord voir...

— Non. Maintenant.

— Travis, ne sois pas si impatient.

— Je le suis. Viens avec moi, déclara-t-il d'un ton ferme en lui prenant la main.

— Mais...

— C'est maintenant ou jamais.

Debout l'un en face de l'autre, ils se fixèrent au fond des yeux. Clay, qui avait deviné comment la scène se terminerait, se détourna pour regarder Niki, assise droite comme un i sur sa selle au milieu de la piste. Quand Travis et Eve s'éclipsèrent des gradins main dans la main, il ne leur lança même pas un coup d'œil.

— J'ai réussi ! J'ai réussi !

Niki passa la jambe au-dessus de la selle et se laissa glisser dans les bras de Clay qui l'attendait, debout près de l'apaloosa.

— J'ai surmonté ma peur, je l'ai vaincue ! Je ne serai jamais une fanatique des chevaux comme mes sœurs, mais je n'aurais plus peur de m'en approcher.

— Je suis très fier de toi, affirma Clay en la serrant contre lui.

— Tu as vu que j'ai galopé, avec Sundance ? Travis m'a dit que ce serait plus facile de rester en selle au galop parce que le trot secoue davantage...

— Niki, il faut que je te dise que...

— Et tu as vu que je n'étais pas plus mauvaise que certaines candidates ?

Elle lui agrippa les bras et le regarda, l'air tout excité.

— Tu as vu celle de Houston ? Je crois que c'était la première fois qu'elle montait à cheval, elle aussi, et elle avait une de ces peurs...

— Niki, j'ai tout vu, je te jure et...

— Et tu as vu que j'ai lâché le pommeau, à la fin ? Oh...

Elle renversa la tête, ferma les yeux et eut un sourire extatique.

— Tu n'imagines pas à quel point je me sens soulagée. Tu as vu que...

Cette fois, Clay n'y tint plus. Puisqu'il n'y avait pas d'autre moyen de faire taire Niki quelques secondes, le temps qu'elle écoute ce qu'il avait à lui dire, il lui plaqua la main sur la bouche.

— Désolé, Niki, mais c'est mon tour de parler. Je veux te dire que je t'aime.

Sous sa paume, Niki poussa une exclamation étouffée et elle écarquilla les yeux.

— Tu m'aimes ? articula-t-elle, quand il retira son bâillon improvisé.

— Bien sûr que oui. Je ne vois pas ce qui te surprend.

— Mais quand je t'ai dit que je t'aimais, tout à l'heure, tu ne m'as même pas répondu et tu avais l'air furieux.

— J'étais sous le choc, avoua-t-il. Mais je peux te répondre maintenant. Je t'aime profondément, passionnément et à la folie. Et si tu ne m'épouses pas dans les heures qui viennent, je saute sur Sundance et je t'enlève au grand galop. Pour de vrai, cette fois.

Elle se laissa aller contre lui en soupirant.

Non, Clay, c'est impossible.

— Pourquoi ?

— Parce que j'ai promis à Dani que personne d'autre ne monterait Sundance.

Elle eut un sourire mutin.

— Alors ce sera moi qui t'enlèverai et qui partirai au grand galop !

— J'adorerais voir ça, murmura-t-il avant de se pencher pour lui prendre les lèvres en un baiser dont la durée aurait dû figurer dans le livre des records.

La fin de la journée arriva enfin. Les candidates avaient passé toutes les épreuves, et il ne restait plus qu'un événement, le plus attendu : celui du choix de la reine des cowboys. Le moment crucial fut annoncé par une musique qui ressemblait vaguement à la chevauchée des Walkyries de Wagner. L'une derrière l'autre, les candidates montèrent sur le podium dressé au milieu de la carrière et attendirent le verdict du jury. Niki s'enfonça les ongles dans les paumes pour lutter contre son énervement grandissant. Elle avait détesté ce concours, en bloc. Elle n'en pouvait plus de sourire, de répondre à des questions stupides du style « et que pensez-vous de la faim dans le monde, mademoiselle Keene ? ». Elle avait enfilé sans sourciller le maillot de bain en jean Stretch et la robe du soir, toujours en jean mais brodée de paillettes un peu partout... Elle avait fait des dizaines de fois le tour de la carrière et du podium, les pieds chaussés tantôt de bottes, tantôt de mules ou de tennis. Bref, elle avait fait tout ce qu'on lui avait demandé, sans jamais perdre son sourire. Ses lèvres faisaient un kilomètre de long à force d'être étirées en permanence et ses jambes étaient aussi flasques que de la gélatine.

Résignée, elle attendit le coup de grâce. Elle avait autant envie de devenir Miss Hubbard Grand Ouest et d'être sacrée reine des cow-boys que d'aller se jeter dans une mer infestée de requins. Parader durant une journée l'avait épuisée, physiquement et moralement. Comment tiendrait-elle une année entière ? Elle lança un coup d'œil à Clay et fut aussitôt rassérénée. Elle avait déjà gagné le gros lot, se dit-elle. L'amour de Clay. Et en prime, elle avait perdu sa peur viscérale des chevaux. Que pouvait-elle désirer de plus ?

Eve se saisit du micro, un sourire félin aux lèvres. Travis se trouvait à deux pas derrière elle, un peu à l'écart des membres du jury.

— Mesdames et messieurs, je souhaite vous remercier d'être venus pour assister à ce concours. Et vous, mesdemoiselles, je vous remercie d'y avoir participé, ajouta-t-elle en s'adressant aux candidates. Chacune de vous a gagné un certain nombre de prix, qui vous seront remis avant votre départ. Et chacune prendra part à la campagne de publicité que nous organisons pour incarner notre nouvelle collection.

Clay haussa les sourcils. Eve ne lui avait jamais dit qu'elle ferait participer chaque candidate à sa campagne publicitaire, mais qu'importe ? Il applaudit comme les autres, jusqu'à ce que la voix d'Eve se fasse de nouveau entendre.

— Voici donc les noms des trois finalistes : Grace Stanley, Niki Keene, Diana Dodd.

Lorsque les trois jeunes femmes s'avancèrent de quelques pas, Eve poursuivit :

— Mesdames et messieurs, nous allons vous annoncer le choix du jury !

Niki se raidit. Elle avait l'impression de porter un poids

très lourd sur ses épaules. Pourtant, elle sourit et salua la foule, comme les deux concurrentes. Du coin de l'œil, elle entrevit le regard compatissant de Clay fixé sur elle. Ah, il comprenait enfin à quel point ce genre de concours pouvait être éprouvant pour elle !

— Nous allons mettre un terme au suspense, déclara Eve. La gagnante de ce concours, qui sera élue reine des cowboys, est...

Niki retint son souffle.

— Grace Stanley !

Le choc fut si rude, pour Niki, qu'elle faillit tomber à la renverse. Elle vit à travers un brouillard Clay s'avancer vers Grace pour lui poser solennellement un superbe Stetson blanc à large bord, décoré d'un ruban en brillants. Niki parvint à conserver son sourire pendant cette petite cérémonie, mais quand Grace enlaça la nuque de Clay et lui plaqua un long baiser sur la bouche, son sourire disparut d'un coup. Heureusement, si les lèvres de Clay étaient occupées par celles de la nouvelle élue, ses yeux étaient rivés sur ceux de Niki. Il lui fit même un clin d'œil, ce qui faillit provoquer chez Niki une explosion de fou rire. Grands dieux, elle n'avait jamais perdu un concours de beauté jusqu'à ce soir, et ses nerfs avaient été mis à rude épreuve ces derniers temps. Elle avait de quoi être désemparée.

A peine était-elle descendue du podium que Travis se précipitait vers elle.

— Eve et moi, nous t'attendons avec Clay pour prendre un verre, lui dit-il. Arrangez-vous pour nous rejoindre dès que vous pourrez vous libérer.

— Nous viendrons, affirma-t-elle. Il faut fêter ça !

Il sourit, comprenant sans peine le soulagement de la jeune femme. Niki renversa la tête en arrière et éclata de rire. Elle venait de l'échapper belle. Elle ne savait pas comment ni pourquoi elle n'avait pas remporté le titre, mais elle en était diablement reconnaissante au destin.

**

Trois heures plus tard, deux couples, confortablement installés dans des chaises longues, sirotaient un cocktail maison en admirant le coucher de soleil depuis le porche du ranch d'Eve. Leur silence était confortable et apaisant, après les hauts et les bas et les émotions fortes qu'ils avaient ressentis, chacun de leur côté, au cours des dernières heures.

Ce fut Eve qui finit par le rompre.

— J'espère que vous n'êtes pas trop déçue, Niki.

— Pas du tout.

Au début, la jeune femme avait tout de même éprouvé un léger pincement au cœur. C'était la première fois qu'elle ne gagnait pas un concours de beauté haut la main. Comme les membres de sa famille et les habitants de Hard Knox, elle était convaincue qu'elle reviendrait chez elle avec le titre.

En fait, c'était avec Clay qu'elle allait revenir.

Elle sourit en le regardant à la dérobée. Assis dans la chaise longue voisine de la sienne, il lui tenait fermement la main comme s'il craignait qu'elle disparaisse aussi brusquement qu'elle lui était apparue dans l'arène où s'était déroulé le concours.

Clay se pencha vers Eve.

— J'aimerais savoir ce qui t'a fait changer d'avis. Tu avais pourtant décidé que Niki gagnerait le concours avant même qu'elle n'y ait participé !

— Chut, Clay... Je ne veux pas que Niki pense que les dés étaient jetés avant que la partie ait commencé, dit Eve en fronçant les sourcils.

— Ils étaient pourtant jetés, affirma Travis paisiblement.

Eve fit la moue.

— Vous êtes insupportables, tous les deux ! Bon, vous avez raison, admit-elle. En fait, Niki devait bien être la gagnante, et si elle ne l'est pas, la faute en revient à Travis. C'est lui qui m'a dissuadée de faire élire Niki. Il ne voulait pas la voir obligée de jouer à la star pendant un an car il savait que cela ne la rendrait pas heureuse.

— Travis, je ne te remercierai jamais assez ! s'exclama Niki.

— Comment diable a-t-il fait pour te convaincre ? demanda Clay, stupéfait.

180

— Il s'est servi d'arguments... indiscutables, avoua Eve avec un sourire entendu. Mais cela ne vous regarde pas, car c'est de ma vie privée dont il s'agit.

Elle lança un coup d'œil à Travis, qui lui sourit avec l'air satisfait d'un chat qui vient d'avaler une souris.

— Et cette idée de faire la campagne publicitaire en y incluant toutes les candidates... Tu ne m'en avais jamais parlé, insista Clay.

— Oh, j'ai beaucoup d'idées nouvelles, mon chou. Et je crois bien que j'ai trouvé un sujet formidable pour ma prochaine campagne... Si tu as le temps, nous pourrions en parler ensemble et...

— Désolé, mais pas ce soir, Eve, lâcha Clay en se levant.

Il passa le bras autour de la taille de Niki, qui l'avait imité.

— Niki et moi avons tout un programme pour la soirée.

Eve rit doucement.

— Ça, je veux bien le croire ! Eh bien, filez tous les deux et donnez-nous bientôt de vos nouvelles... J'espère que Travis voudra bien me tenir compagnie un jour ou deux.

Elle posa une main sur le bras de son compagnon et regarda s'éloigner Clay et Niki dans la chaude lumière du soleil couchant.

— Je t'aime, Niki. Je t'aime plus que moi-même. Plus que tout, murmura Clay.

Debout au milieu de l'immense chambre à coucher de la suite réservée aux jeunes mariés dans un hôtel de Las Vegas, Niki scruta le visage de son nouvel époux.

— Il paraît que c'est à cela que l'on reconnaît le véritable amour, dit-elle. Au fait que l'on aime l'autre plus que soi-même. C'est exactement ce que je ressens pour toi, Clay.

Elle ouvrit le premier bouton de la chemise du jeune homme, puis le second.

— Quand tu es parti du ranch, je pensais que tout était fini entre nous.

Il passa les mains derrière le dos de la jeune femme et fit glisser lentement la fermeture Eclair de sa robe.

— Tu étais tellement inébranlable, mon amour ! Je pensais que rien au monde ne pourrait te faire changer d'avis, dit-il avec un soupir.

Elle défit la boucle de la ceinture du pantalon de Clay.

— Mais tu étais doué d'une force irrésistible. Sans toi, je n'aurais jamais réussi à surmonter ma peur et à dominer mes vieux démons. C'est quand j'ai su que ton avenir était en jeu que j'ai compris que...

La main de Clay se faufila sous la dentelle arachnéenne du soutien-gorge de sa femme pour envelopper son sein rond et ferme. Niki oublia le reste de sa phrase et demeura un moment les yeux fermés pour mieux savourer la caresse et la promesse de bonheur qu'elle annonçait.

— Nous allons être tellement heureux, Clay, chuchota-t-elle, prête à défaillir.

Il la souleva et la déposa sur le lit.

— Nous allons nous aimer. Pour toujours... Pour l'éternité plus un jour, murmura-t-il avant de se couler sur elle et de lui prendre les lèvres.

Alors, des larmes de bonheur aux yeux, Niki se souvint du conseil que sa grand-mère n'avait cessé de lui donner : « Où que tu sois, quoi que tu fasses, aime la vie. »

C'était exactement ce qu'elle avait fait. Elle avait l'intention de rester fidèle à cette devise encore longtemps.

Le nouveau visage
de la collection Or

◆

AMOURS D'AUJOURD'HUI

Afin de mieux exprimer sa modernité et de vous séduire encore davantage, votre collection Or a changé de couverture et de nom depuis le 1er mars 1995.

Rassurez-vous, les romans, eux, ne changent pas, et vous pourrez retrouver dans la collection **Amours d'Aujourd'hui** tous vos auteurs préférés.

Comme chaque mois, en effet, vous y attendent des héros d'aujourd'hui, aux prises avec des passions fortes et des situations difficiles...

**COLLECTION
AMOURS D'AUJOURD'HUI :**
Quand l'amour guérit des blessures de la vie...

Chère lectrice,

Vous nous êtes fidèle depuis longtemps?
Vous venez de faire notre connaissance?

C'est pour votre plaisir que nous avons
imaginé un rendez-vous chaque mois
avec vos auteurs préférés, vos
AUTEURS VEDETTE dans les
collections Azur et Horizon.

Les **AUTEURS VEDETTE** vous
donneront rendez-vous pour de
nouveaux livres vedette.

Pour les reconnaître, cherchez
l'étoile... Elle vous guidera!

Éditions Harlequin

HARLEQUIN

LE FORUM DES LECTEURS ET LECTRICES

CHERS(ES) LECTEURS ET LECTRICES,

VOUS NOUS ETES FIDÈLES DEPUIS LONGTEMPS?

VOUS VENEZ DE FAIRE NOTRE CONNAISSANCE?

SI VOUS AVEZ DES COMMENTAIRES, DES CRITIQUES À FORMULER, DES SUGGESTIONS À OFFRIR, N'HÉSITEZ PAS… ÉCRIVEZ-NOUS À:

LES ENTERPRISES HARLEQUIN LTÉE.
498 RUE ODILE
FABREVILLE, LAVAL, QUÉBEC.
H7R 5X1

C'EST AVEC VOS PRÉCIEUX COMMENTAIRES QUE NOUS ALLONS POUVOIR MIEUX VOUS SERVIR.

DE PLUS, SI VOUS DÉSIREZ RECEVOIR UNE OU PLUSIEURS DE VOS SÉRIES HARLEQUIN PRÉFÉRÉE(S) À VOTRE DOMICILE, NE TARDEZ PAS À CONTACTER LE SERVICE D'ABONNEMENT; EN APPELANT AU (514) 875-4444 (RÉGION DE MONTRÉAL) OU 1-800-667-4444 (EXTÉRIEUR DE MONTRÉAL) OU TÉLÉCOPIEUR (514) 523-4444 OU COURRIER ELECTRONIQUE: AQCOURRIER@ABONNEMENT.QC.CA OU EN ÉCRIVANT À:

ABONNEMENT QUÉBEC
525 RUE LOUIS-PASTEUR
BOUCHERVILLE, QUÉBEC
J4B 8E7

MERCI, À L'AVANCE, DE VOTRE COOPÉRATION.

BONNE LECTURE.

HARLEQUIN.

VOTRE PASSEPORT POUR LE MONDE DE L'AMOUR.

COLLECTION
HORIZON

Des histoires d'amour romantiques qui
vous mènent au bout du monde!

Découvrez la passion et les vives
émotions qu'apportent à la Collection
Horizon des auteurs de renommée
internationale!

Captivantes, voire irrésistibles, ces
histoires d'amour vous iront
assurément droit au coeur.

Surveillez nos quatre nouveaux titres
chaque mois!

La COLLECTION AZUR

Offre une lecture rapide et

- ☑ stimulante
- ☑ poignante
- ☑ exotique
- ☑ contemporaine
- ☑ romantique
- ☑ passionnée
- ☑ sensationnelle!

COLLECTION AZUR...des histoires
d'amour traditionnelles qui vous
mènent au bout du monde!
Six nouveaux titres chaque mois.

Composé sur le serveur d'EURONUMÉRIQUE, à MONTROUGE
PAR LES ÉDITIONS HARLEQUIN
Achevé d'imprimer en août 2001

BUSSIÈRE

GROUPE CPI

à Saint-Amand-Montrond (Cher)
Dépôt légal : septembre 2001
N° d'imprimeur : 14178 — N° d'éditeur : 8959

Imprimé en France